MELITTA GERHARD

DER DEUTSCHE ENTWICKLUNGSROMAN
BIS ZU GOETHES
'WILHELM MEISTER'

Zweite, unveränderte Auflage

FRANCKE VERLAG BERN

UND MÜNCHEN

Die erste Auflage erschien 1926 im Verlag Max Niemeyer, Halle, als neunter Band der Buchreihe der «Deutschen Vierteljahrsschrift für Literaturwissenschaft und Geistesgeschichte».

©
A. Francke AG Verlag Bern
Zweite, unveränderte Auflage 1968
Alle Rechte vorbehalten
Printed in Switzerland

VORWORT

«Ihr bringt mit euch die Bilder froher Tage, Und manche liebe Schatten steigen auf.» Es ist nun vierzig Jahre her, seit die Druckbogen dieses Buches der Universität Kiel für meine Habilitation vorlagen. Mit Freude sehe ich, daß es auch heut noch Interesse findet und, da es seit längerer Zeit im Buchhandel nicht mehr erhältlich war, ein Neudruck geboten ist. Bei dem Umfang der Forschung während dieser vier Jahrzente über die darin behandelten Werke hätte jede Bearbeitung zu einer völlig neuen Untersuchung führen müssen. Da dabei aber der Grundgedanke derselbe geblieben wäre und die Abweichungen hinsichtlich der jeweiligen Behandlung der Einzelwerke aus den betreffenden Veröffentlichungen selbst erkennbar sind, schien mir dies untunlich. So lasse ich diese frühe Arbeit, mit dem Dank an alle, die ihrer bei ihren eigenen Forschungen gedacht haben, und an den Verlag Francke, der den Neudruck übernommen hat, unverändert nochmals hinausgehen.

Cambridge, Mass.

Dezember 1967

MEINER MUTTER

ADELE GERHARD

AUS DEREN ROMANDICHTUNG „PFLÜGER“ MIR
DIE ANREGUNG ZU DIESER ARBEIT ERWUCHS

EINLEITUNG

Die Geschichte des deutschen Entwicklungsromans von seinem ersten Hervortreten in Wolframs Parzival-Epos bis zur Entstehung des modernen Bildungsromans mit Goethes 'Wilhelm Meister' zu verfolgen, ist die Aufgabe dieser Arbeit. Nur der Kürze halber wurde der Ausdruck Roman gewählt; er soll hier das gesamte Gebiet erzählender Darstellung, ob in gebundener oder ungebundener Form, einbegreifen. Warum die Untersuchung bei Goethes 'Meister' halt macht, wird aus dem Verlauf der Darstellung hervorgehen. Aus ihm wird auch erhellen, weshalb die Bezeichnung des Bildungsromans den Schöpfungen der Goetheschen und Nach-Goetheschen Epoche vorbehalten blieb und die umfassendere des Entwicklungsromans bevorzugt wurde.

Als Entwicklungsromane werden hier alle die erzählenden Werke verstanden, die das Problem der Auseinandersetzung des Einzelnen mit der jeweils geltenden Welt, seines allmählichen Reifens und Hineinwachsens in die Welt zum Gegenstand haben, wie immer Voraussetzung und Ziel dieses Weges beschaffen sein mag.

Ist so der Begriff des Entwicklungsromans im weitesten Sinne genommen, der es gestattet, ihn gleicherweise auf eine Dichtung des dreizehnten und des achtzehnten Jahrhunderts anzuwenden, so grenzt er sich andererseits scharf ab gegen alle äußerlich verwandten Gattungen, die nicht aus gleicher Fragestellung erwachsen sind, wie den pädagogischen oder den allgemein biographischen Roman. Von jeder Art Zweckdichtung, wie sie der tendenziöse Erziehungsroman zu allen Zeiten seinem Wesen nach sein muß, ob es sich um den religiösen Bekehrungsroman handelt, wie ihn etwa die mittelalterlichen Barlaam-Epen spiegeln, oder um ein pädagogisches Zukunftsprogramm und den Willen erzieherischer Reform wie in Rousseaus 'Emile', ist der Ent-

wicklungsroman von vornherein unterschieden, der nicht die
absichtsvolle Führung und Umgestaltung eines Menschenlebens
zeigen will, sondern in unwillkürlicher Umsetzung seelischer Vorgänge ins künstlerische Gebild die organische Entfaltung des
Menschen in Kampf und Ausgleich mit der Welt verkörpert.
Schwerer ist das Gebiet des Entwicklungsromans gegenüber dem
der Autobiographie abzustecken.   Wo der Verlauf des eigenen
Lebens repräsentativ geschaut ist, wie etwa in 'Dichtung und
Wahrheit' — das freilich zeitlich und durch die Beschränkung
auf eine bestimmte Lebensperiode jenseits des Rahmens unserer
Untersuchung liegt —, da kann eine nahe Verwandtschaft mit
dem Entwicklungsroman bestehen.   Entscheidend für die Zugehörigkeit zu ihm bleibt dabei, ob nicht die Bindung an den
historischen Vorgang, sondern die dichterisch-symbolische Bedeutung des Prozesses die Gestaltung bestimmt.

Der Geschichte des d e u t s c h e n Entwicklungsromans gilt
unsere Darstellung.   Wieweit das Schrifttum anderer Nationen
gleiche Erscheinungen aufweist, oder ob Besonderheiten deutschen
Geisteslebens dieser Romangattung eine erhöhte Bedeutung
gerade in unserer Literatur verliehen, und inwiefern die Bahn
ihrer Geschichte hier und dort verschiedene Kurven und Gesetze
aufweist, dieser gewichtigen und weittragenden Frage nachzugehen, bleibt eine besondere Aufgabe.   Hier war es um die Auf-
zeigung und Erhellung eines in sich geschlossenen Prozesses zu
tun, wie ihn die Geschichte des deutschen Entwicklungsromans
ausmacht.   Sie ist zugleich ein bedeutsamer Ausschnitt aus der
Gesamtgeschichte deutschen Geistes.   Kein beliebiges Teilstück
der Geschichte des Romans, zeigt sie vielmehr die Wandlungen,
die ein Kernproblem menschlichen Daseins im Ablauf der Jahrhunderte erfahren hat, spiegelt sie die verschiedenen Stadien,
die die Stellung des Einzelnen zur Gesamtheit im deutschen
Kultur- und Geistesleben durchgemacht hat.

I. TEIL

DER ENTWICKLUNGSROMAN AUF DEM BODEN DES VERSEPOS

1. KAPITEL

WELT UND GEIST DER MITTELALTERLICHEN EPIK

Die Welt der großen epischen Dichtung in der Blütezeit mittelalterlichen Kunstschaffens in Deutschland, der kulturelle und seelische Untergrund, in dem ihre Gestalten wurzeln, ist bereits ein mannigfach zusammengesetztes Gebilde. In den verschiedenen Werken und Gruppen verschieden, vereinigt es in der einen oder anderen Verteilung und Ineinanderfügung ursprünglich getrennte, zuweilen gegensätzliche Schichten.

Unvermischt treten uns solche Schichten noch hier und da in den ersten Anfängen der erhaltenen altdeutschen Epik entgegen. Das ungebrochene Fühlen altgermanischer Heidenzeit spricht noch fast ganz rein im Bruchstück des Hildebrandsliedes, das freilich seiner — mehr dramatisch vergegenwärtigenden als berichtenden — Darstellungsart nach kaum als epische Dichtung anzusprechen ist; als Ausdruck jenes Weltgefühls aber bedeutet es in unserm Zusammenhang ein wertvolles Zeugnis. Wohl in keinem andern Denkmal finden wir gleich unmittelbar eine Seelenhaltung, für die die Gebote geltender Sitte so durchaus eigen empfundenes, selbstverständlich ehern zwingendes Gesetz sind, demgegenüber es zwar Schmerz, aber keine Frage, keinen Zweifel gibt, das kein fremder Zwang, sondern innerste Notwendigkeit ist. Hier ist keine Trennung zwischen dem Wunsch des Einzelnen und dem allgemeinen Sittenempfinden, beide sind eins; die Forderung der Ehre, um die der Alte, in voller Klarheit seines furchtbaren Schicksals, den Sohn erschlägt, ist nicht so sehr eine Pflicht, der er genügt, als eine Forderung seines Inneren, wie sie bindende Macht in der Welt ist, der er angehört. — Verwandtes Empfinden klingt in schon christlicher Einkleidung im lateinischen Walthari-Epos, um vieles verflachter freilich, gröber und zugleich leichter, der tragischen Wucht fast absichtlich beraubt.

Flutet in diesen Schöpfungen der Strom altgermanischen Weltgefühls, so finden wir die zweite Macht, die am Organismus des mittelalterlichen Weltbildes gewirkt hat, am ungebrochensten in den beiden großen Christusdarstellungen des neunten Jahrhunderts zu epischem Ausdruck gelangt. So einheitlich und selbstverständlich wie im Hildebrandslied die Norm heidnischen Heldentums ist hier — trotz aller germanischen Einkleidung im 'Heliand' — die der christlichen Heilslehre; auch hier fehlt jede Problematik, jedes Fragen oder Sichhineinfinden. Nichts liegt beiden Dichtern — von denen der Verfasser des 'Heliand' ja in weit stärkerem Maße als Otfried Erzähler ist — ferner, als die Darstellung von Jesu Leben und Wirken irgendwie im Sinne seelischer Entwicklung auffassen zu wollen, wie es heutige Gestaltungen des Stoffes ja mitunter versucht haben[1]).

An Stelle dieser Geradlinigkeit des allgemeinen Grundgefühls, wie sie in den geistlichen und weltlichen Gebilden der ältesten erhaltenen Schicht erzählender deutscher Dichtung zum Ausdruck kommt, zeigt sich im Lauf der nächsten Jahrhunderte ein vielfältiger verknüpftes, verschlungeneres Gewebe, in dem nicht nur heidnisch-heldisches und christliches Wollen sich miteinander verknoten, sondern in dem auch, teils durch Eindringen fremdländischer Formen und Geistigkeit, teils durch die größere Ausweitung und Kompliziertheit des Gemeinschaftslebens an sich, das gesellschaftliche Netzwerk mannigfaltigere und verwickeltere Gestalt annimmt. Eine neue Konvention, eine andere Lebenshaltung als vorher ist es, die sich im Ritterepos, von seinen Anfängen bis zur Blüte im sogenannten „Höfischen Epos", ausspricht. Die früheren Hervorbringungen der Ritterdichtung, die sich noch im reinen Abenteuerbericht, in der spielerischen Lust an spannenden Verwicklungen, der bloßen Freude am Stofflichen und seiner geschickten Wiedergabe erschöpfen, sind ohne Belang für unseren Zusammenhang. Zwar hat man im 'Ruodlieb' den ersten „Erziehungsroman" der mittelalterlichen Literatur sehen wollen[2]), aber in dem Sinn, in dem wir den Begriff des

---

[1]) Man denke etwa an Gerhart Hauptmanns 'Emanuel Quint'.

[2]) So S. Singer, Die Wiedergeburt d. Epos u. die Entstehg. d. neueren Romans (Sprache u. Dichtg. H. 2, Tübungen 1910).

Entwicklungsromans gefaßt haben, findet sich in dem lateinischen Romanbruchstück kein irgendwie beachtenswertes Element, das das Werk in diese Richtung wiese. Die dem Helden erteilten, befolgten oder nicht befolgten Lehren[1]), die allerdings äußerlich dem Roman stark als zusammenhaltende Klammer dienen, wirken in erster Linie als technischer Kunstgriff; soweit sie darüber hinaus vertiefter zu fassen sind, kommt doch nur die Absicht prinzipieller Didaktik, moralischer Belehrung in Frage, von einer seelischen Entwicklung aber unter dem Gesichtspunkt der Auseinandersetzung mit dem Leben und der Gesellschaft ist nirgends etwas zu spüren. Wichtig wird für uns die Ritterepik erst da, wo sie sich zum Ausdruck seelischen Erlebens, zur wirklich dichterischen Schöpfung steigert: bei Gottfried und Wolfram, wie in einigen Werken Hartmanns. Und hier erhebt sich nun die Frage, welche Welt es ist, die diese Dichtungen spiegeln, wie sie sich zu der Welt des Heldenepos[2]) verhält, das doch die gleiche Zeit hervorgebracht hat, welches Daseinsgefühl uns in beiden Gruppen entgegentritt. Die äußere Hülle, die gleiche Abfassungszeit darf uns nicht darüber täuschen, daß nicht nur eine andersartige Kunstform in beiden vorliegt, daß vielmehr verschiedene Welten, ja, verschiedene Epochen und darum eine ganz verschiedene Stellung zu den Grundfragen des Lebens und der Gemeinschaft in ihnen sprechen[3]).

Das ritterliche Gewand des Heldenepos ist nicht wie bei der höfischen Dichtung durchweg Abzeichen innerer Gesinnung. Es ist ihm vielfach nur lose umgehangen, ohne seine Gebärde, seinen Gang zu bestimmen. Wenn in manchen Episoden, im Rankenwerk und im Detail der Ausgestaltung, bei der 'Gudrun' auch in der Abbiegung des Schlusses sich ritterliches Empfinden eingedrängt hat, so entstammt doch die innere Haltung, die Plan und Idee der Werke bestimmt, die in der Linie des Geschehens und den großen Hauptgestalten zum Ausdruck kommt, der

---

[1]) Wenn wir im 'Parzival' dies Motiv der Lehren wiederfinden, so gewinnt es doch dort eine ganz andere Bedeutung.

[2]) Die Bezeichnung „Heldenepos" ist im Anschluß an Heusler (vgl. bsds. Nibelungensage und Nibelungenlied, Dortmund 1921. Schlußbetrachtung S. 292; 2. Aufl. 1922, S. 315) hier durchgehends statt der älteren „Volksepos" gebraucht.

[3]) Für die Ausprägung dieses Unterschiedes im Sprachgebrauch des Heldenepos und Höfischen Epos vgl. Panzer, Das Altdeutsche Volksepos. (Halle 1903) u. Ztschr. f. deutsch. Philol. 33, S. 127ff.

früheren Welt[1]). Jener Welt, die wir — noch unverhüllt von
späterer Gewandung — im Hildebrandslied zum Ausdruck
kommen sahen, einer Welt, in der die „Gesellschaft" noch nicht
als äußere Konvention unverbunden neben den Notwendigkeiten
des Gefühls oder im Gegensatz zu ihnen steht, da vielmehr in
den Bindungen der Sitte und der Gemeinschaft heißeres Leben
noch pulst. Auch in Nibelungenlied und Gudrun sind diese alten
Gebote der Sitte und des Gemeinschaftslebens ganz stark und
elementar als innere Nötigung empfunden. Konflikte können
wohl z w i s c h e n den verschiedenen Bindungen und Mächten ent-
stehen, von denen der Mensch solcherweise als Glied der Gemeinschaft bestimmt ist, deren Geltung aber bleibt jenseits aller
Erschütterungen des Lebens, von Anbeginn steht der Einzelne
in ihrem Zeichen. Konflikt kennt also diese Dichtung wohl, wie
auch bereits das Hildebrandslied, ja sie zeigt uns darüber hinaus
seelische Entwicklung und Wandlung in großen Maßen in der
Gestalt Kriemhilds[2]), aber es ist doch eine Entwicklung innerhalb

---

[1]) Für das Nibelungenlied grenzt diese verschiedenen Schichten
der während der Abfassung dieser Arbeit erschienene Aufsatz von
Friedrich Neumann, Schichten der Ethik im Nibelungenliede (Festschr.
f. Mogk, Leipzig 1924) im einzelnen ab. Vgl. bes. S. 139 „Mochte man
Kriemhild, Siegfried, Hagen noch so sehr dem Ritterstil anpassen, an
allen entscheidenden Stellen des Gedichtes mußten sie sich so verhalten,
wie es ihnen der Grundriß der überlieferten Handlung vorschrieb".
S. 141: „Der Grund ist deutlich, warum die Vorzeithelden des Nibelungenliedes nicht in allen ihren Taten streng ritterlichen Lebensstil verwirklichen. In der ursprünglichen Gestalt der Kernhandlung standen sie
unter einem Vorbild, das sich in Ausdrucksformen bewährt, die dem
Verhalten des Ritters oft ähnlich oder gleich sind, das aber aus einer
unmittelalterlichen Lebensauffassung, einer unmittelalterlichen Ethik
hergeleitet ist." — Die Selbständigkeit der künstlerischen Gestaltung
des Nibelungen-Dichters, wie sie neuerdings Hans Naumann, Die jüngeren
Erfindungen im Heldenroman (Ztschr. f. Dtschkde. 1926, Heft 1) aufgezeigt hat, wird von dieser Frage nicht berührt.
[2]) Wird auch diese Entwicklung selbst, dem Wesen der damaligen
Dichtung gemäß, nicht geschildert, nicht analysiert, kaum benannt, ist
sie nur aus Handlungen, Gebärden, Äußerungen zu erschließen, so ist sie
darum doch vorhanden. Daß die Figur Kriemhilds historisch aus zwei
ursprünglich getrennten, heterogenen Frauengestalten zusammen-
geschmolzen ist, hindert nicht, daß sie im Nibelungenlied als einheitlicher
Charakter vor uns steht, daß es dem Dichter gelungen ist, die seelische
Wandlung als eine motivierte und tief überzeugende erscheinen zu lassen.

des Rahmens der gegebenen Umwelt, bedingt durch ein besonderes
Schicksal, unterworfen den Gesetzen des sittlichen Kosmos, in
dem sie steht, nicht eine Entwicklung zur Umwelt hin, eine Auseinandersetzung mit diesem Kosmos.

Von ganz anderer Prägung als das Weltbild des Heldenepos
ist das der Höfischen Epen. Hier ist es in der Tat die ritterliche
Kultur des zwölften und dreizehnten Jahrhunderts, in der die
Gestalten atmen, von der sie bedingt sind. In dieser Kultur haben
das Gemeinschaftsleben und seine Gesetze bereits eine andere
Färbung erhalten. Die Gesellschaft hat in stärkerem Maß den
Charakter einer Konvention angenommen, ihre Regeln sind nicht
mehr unmittelbarer Ausdruck seelischer Bindungen, vielmehr steht
die „Sitte" oft bereits im Gegensatz gegen die Notwendigkeiten
des eigenen Bewußtseins. Sie ist eine fremde Macht, der sich der
Einzelne fügt, aber als einer ihm auferlegten Pflicht, einer für
unvermeidlich und richtig anerkannten Abmachung, nicht als
einem inneren Drang. Sie ist zur geselligen Übereinkunft geworden, die im Interesse der Gesamtheit vermittelt, ordnet,
gebietet. Damit hängt es zusammen, daß die Höfische Dichtung
viel von der tragischen Unerbittlichkeit des Heldenepos verloren
hat. Man beachte, wie leicht und rasch die Ritter der Tafelrunde
sich zur Versöhnung mit ehemaligen Gegnern bereit finden[1]),
abgewiesene Freier sich mit einer anderen Braut trösten[2]). Man
vergleiche mit der Starrheit Kriemhildes, wie mühelos sich die
Alte Isolde mit der Ehre von Markes Werbung über den zuerst
so schmerzlich empfundenen Tod des Bruders hinwegsetzt, wie
Orgeluse auf gütliches Zureden hin darauf verzichtet, ihren ersten
Geliebten zu rächen[3]). In all solchen Zügen wird sichtbar, daß
die Satzungen der Gesellschaft nicht mehr die des ursprünglichen
Gefühls sind, ob es sich ihnen auch unterwirft und vor ihnen

---

[1]) So versöhnt sich Gramoflanz mit Gawan, der seinen Vater
erschlug, Ginover zürnt Parzival nicht um Ithers Tod, den sie doch
betrauert, usw.

[2]) Wie Condwiramurs Freier Clamide mit Cunneware.

[3]) Wenn Wolfram gegen die Untreue von Hartmanns Laudine
polemisiert (Parz. V 263, 10ff.), so ist das nur eine Differenz des persönlichen Empfindens, mit der er die größere Reinheit seiner Sigune heraushebt. Aber keineswegs erscheint ihm dieses Verhalten als eine Un-
geheuerlichkeit, wie es dem Weltgefühl des Nibelungenliedes erschienen
sein müßte.

zurücktritt. Am deutlichsten spricht dieser Zustand aus dem
'Tristan'. Die schicksalhafte Leidenschaft, die die Liebenden
zueinander zwingt, ist durchaus ohne jenen Hang zu glättendem
Ausgleich, mit voller tragischer Wucht, ganz elementar und dä-
monisch erlebt — eine Gewalt, die jenseits von Menschenwollen
schaltet und gebietet, wie der Trank das sichtbar verkörpert.
Die Gesetze der Sitte aber, die ihr entgegenstehen, haben in dem
Werk keinen gleichwertigen Seelengehalt. Es ist kein Kampf
zwischen zwei inneren Notwendigkeiten, der sich hier abspielt; die
Forderungen der Gesellschaft werden als eine äußere Nötigung betrachtet, die darum skrupellos umgangen und betrogen werden darf[1]).
Freilich, sie sind gleichwohl noch mächtig genug, um auch von
der allgewaltigsten Leidenschaft nicht durchbrochen werden zu
können und eine wenigstens scheinbare Unterwerfung zu erzwingen.

So spüren wir unterirdisch im 'Tristan' bereits eine Ent-
fremdung des Einzelnen gegenüber den Ansprüchen des Gesamtlebens. Aber sie kommt nicht offen zum Ausdruck. Ob auch
um vieles dünner und erdfremder als die Welt des Heldenepos,
wird die Lebensform, in der das höfische Epos wurzelt, doch im
allgemeinen in ihm gleichwohl noch als selbstverständlich geltend
vorausgesetzt. So schildert der 'Tristan' die Erziehung und Ausbildung seines Helden durchaus als Ausbildung zu dem gegebenen
Ritterideal, ohne Kritik an diesem Ideal, ohne Schwierigkeiten
und Reibungen in der Erreichung dieses Ziels.

Nur ein Dichter der Epoche spricht die Problematik, die
sonst höchstens verdeckt und verhalten spürbar wird[2]), unmittelbar
aus, stellt sie in den Mittelpunkt eines eigenen Werkes und formt
sie zu künstlerischem Gebild: In seinem „Parzival" hat Wolfram
das Problem der Auseinandersetzung des Einzelnen mit dem

---

[1]) So erklärt sich, daß trotz des Ernstes und der Wucht in der
Gestaltung der Leidenschaft der 'Tristan' gelegentlich fast etwas
frivol erscheinen kann. — Es ist dabei aber auch in Betracht zu ziehen —
wie in ähnlicher Weise beim „Tagelied" — daß das Mittelalter, wie noch
heute die katholische Kirche, keine Scheidung kennt, es für eine Vereinigung der Liebenden im Rahmen der Gesellschaft also schlechthin
keine Möglichkeit gab.

[2]) Die Ablehnung des Weltlebens im „Gregorius" gehört nicht
in diesen Zusammenhang. Sie ist einseitige Verwerfung weltlichen
Treibens aus religiös-christlicher Einstellung, nicht ein Ringen mit der
Umwelt auf ihrem eigenen Boden.

geistigen und gesellschaftlichen Kosmos seiner Zeit, als allmählichen Werdeprozeß, zum erstenmal gestaltet und damit den
ersten deutschen Entwicklungsroman geschaffen. Als erster
stellt Wolfram nicht die Norm der ritterlichen Kultur dar, sondern
das mühevolle Hineinwachsen in ihre Formen, den Weg der zur
Norm führt.

Diese Besonderheit des 'Parzival' in Gehalt und Problemstellung gilt nicht nur gegenüber der gleichzeitigen deutschen
Dichtung, innerhalb deren Rahmen er steht, sie gilt auch gegenüber dem französischen Epos des Chrétien[1]), das den gleichen
Stoff behandelt, ohne daß doch auch der Gehalt, der bei Wolfram
in diesem Stoff sein Symbol fand, seinem Werk zugrunde läge.
Gerade der Vergleich mit dem „Contes del graal" zeigt eindringlich
Aufbau und Idee der Wolframschen Schöpfung in ihrer Ge-
schlossenheit und Eigenkraft, läßt den seelischen Vorgang, den
sie spiegelt, stärker fühlbar werden[2]).

---

[1]) Chrétien v. Troyes, Le contes del graal, hsg. Baist, Freiburg 1909.

[2]) Wir ziehen hier Chrétiens Epos wiederholt zum Vergleich heran,
unbekümmert darum, ob es Wolfram als unmittelbare Quelle gedient
hat oder nicht, da es ihm in jedem Fall bekannt war und es hier nicht
auf das Quellenproblem, sondern auf die dichterische Eigenart des
Wolframschen Werkes ankommt. Aus dem gleichen Grunde hat die
Kontroverse über die Kiot-Quelle für uns nur eine sekundäre Bedeutung.
Die an sich sehr wertvolle Frage, wieweit die verschiedenen stofflichen
Elemente, die in den 'Parzival' hineingearbeitet sind, ohne bei Chrétien
vorhanden zu sein, freie Erfindung Wolframs sind, wieweit sie einer
Überlieferung entstammen, gehört nicht in unseren Zusammenhang.
Das Kiot-Problem würde nur dann für uns entscheidend sein, wenn
mit Singer (Wolframs Stil und der Stoff des 'Parzival', Sitzungsber.
d. Wiener Akademie 180, Wien 1917) anzunehmen wäre, daß auch der
dichterische Gehalt des 'Parzival', die Grundidee selbst, dem Kiot
angehörte und Wolfram nur der — sogar unzureichende — Übersetzer
wäre. Diese Auffassung aber widerlegt der tiefe und unübersehbare
Zusammenhang zwischen den verschiedenen Werken Wolframs, das
Anklingen gerade entscheidender Züge des 'Parzival' in seinen anderen
Dichtungen. (So die Auffassung ehelicher Liebe und Treue in dem
bekannten Tagelied „Der helden minne . . .", die von Wolfram selbst
(Willehalm 271, 17) hervorgehobene Verwandtschaft der Gestalt Rennewarts mit der des Parzival, die im einzelnen zwar abweichende, in der
Grundlage aber gleiche Stellung zum Heidentum in 'Willehalm' und
'Parzival' usw.) Singers Annahme, daß die dem Kiot entlehnten Züge
des 'Parzival' dann weiter von Wolfram in den 'Willehalm' übernommen seien, scheint mir vollends unhaltbar, wie auch Singers eigene

Ist das Erscheinen des 'Parzival' seiner Grundeinstellung nach auch nicht völlig unvorbereitet, wie das Weltgefühl der höfischen Epik uns erkennen ließ, so steht er doch als selbständiger Entwicklungsroman ohne Vorboten da. Für ein neuartiges Erlebnis ist hier künstlerischer Ausdruck geschaffen, einem großen menschlichen Problem zum erstenmal im deutschen Schrifttum Stimme gegeben.

Willehalm-Deutung (Wolframs Willehalm, Bern 1918) keineswegs durchweg nach diesem Prinzip zu verfahren vermag. Denn eine derartige Übertragung fremder Motive auf die Bearbeitung eines beliebigen anderen Themas ist nur für rein stoffliche Elemente denkbar, nicht für unmittelbar Seelisches, wie es etwa in der von Singer selbst hervorgehobenen Verinnerlichung des Rennewart gegenüber der Quelle zum Ausdruck kommt. — Ebensowenig gehören die sonstigen stofflichen Zusammenhänge und Anklänge, wie die Frage nach den Beziehungen des Parzival-Stoffes zum 'Sir Percyvelle' und zum cymrischen 'Peredur', das Problem der Graltradition, der Zusammenhang der Jugendgeschichte mit dem Motiv der „Dümmlingsmärchen" oder der Lehren, die dem Helden erteilt werden, mit dem ähnlichen Motiv im 'Ruodlieb' in den Bereich unserer Untersuchung. Auf die Verwendung alten Sagen- und Märchenguts im 'Parzival' werden wir nur da eingehen, wo solche Motive durch die Art ihrer Benutzung und Umgestaltung den Gehalt und Aufbau des Werkes erhellen. — Gegenüber dem prinzipiellen Einwand, daß der mittelalterliche Dichter nicht so frei mit seinem Stoff schalte wie der neuere, ist zu betonen, daß wohl die Erlebnisart des damaligen Dichters weniger individuell ist und daß er in seinen dichterischen Ausdrucksmöglichkeiten und seinem Stoffkreis stärker an eine Tradition gebunden ist (vgl. Burdach, Der mythische und der geschichtliche Walther Deutsche Rundschau, Jahrg. 49, = Vorspiel I), daß aber der Vorgan, dichterischen Schaffens selbst für alle Zeiten der gleiche ist und auch beg Wolfram nicht der benutzte Stoff, sondern die Art seiner einheitlicheni Gestaltung für das Verständnis des Werks ausschlaggebend ist. Vgl. auch Ehrismann, Märchen im höfischen Epos (Beitr. 30, 1905, S. 44): „Für die Auffassung der höfischen Dichter besaßen diese Stoffe nichts mehr von dem realen Werte, welcher der Volkssage insofern anhaftet, als sie Schöpfung und Ausdruck eines bestimmten Volkstums ist. Für sie waren es nur mehr freie Phantasiegebilde, poetische Motive." Auch Viktor Michels (Gött. Gel. Anz. 1897 S. 741) führt aus, daß wir „Wolfram das Gefühl der dichterischen Souveränität tradierten Stoffen gegenüber ... doch wohl zugestehen müssen." Die Berufung des Dichters auf die „aventiure" darf uns als übliche Einkleidung nicht irre führen.

2. KAPITEL

WOLFRAMS 'PARZIVAL'

I. DER GEHALT DES WERKES

Parzivals Werdegang.

In der Einsamkeit, ohne Kenntnis des Weltlebens, wächst
Parzival auf. Dieser Zug, den Wolfram in dem Stoff vorfand[1]),
gewinnt in seiner Darstellung ein neues bedeutsames Gepräge.
Denn gerade dieser Akkord, mit dem Wolfram das Leben seines
Helden einleitet, stimmt das Grundmotiv an, auf dem die Melodie
der Dichtung beruht. Daß Parzival von den Formen gesellschaft-
lichen Zusammenlebens, wie sie draußen in der ihm unbekannten
Welt üblich sind, nichts weiß, läßt die Spannung zwischen dem
Einzelnen und der Welt, die Aufgabe, die darin liegt, sich in diese
Welt hineinzufinden, ganz rein zum Ausdruck kommen, und es
ist bezeichnend, daß später der 'Simplicissimus' in anderer
Wendung dasselbe für den Entwicklungsroman so fruchtbare
Motiv enthält.

All das, was in jener Waldeinsamkeit in dem Knaben wächst,
das wenige, was er von der Mutter erfährt, ist elementar Menschliches, nichts, was den Bräuchen einer bestimmten Sitte und
Kultur angehört. Wenn er sich den Bogen schnitzt und mit dem
Jagdspieß den angeborenen Kampftrieb am Wilde ausläßt, so
regt sich darin ein Urgefühl, das auch im Rittertum wirkt, aber
die ritterlichen Formen, unter denen dieser Urtrieb in seiner Zeit
gepflegt wird, bleiben ihm fremd. Und wir dürfen uns erinnern,
daß mit der primitiven Waffe, die ihm daheim gedient hat, er

---

[1]) Über das Motiv der „tumbheit" in dem Sagenkreis der
„Dümmlingsmärchen" vgl. Anmerkungen zu Grimms Märchen Nr. 62
bis 64. Ferner: Panzer, Siegfriedmärchen (Aufs. zu Sprach- u. Lit.
Gesch. Festgabe für W. Braune, 1920) und: Studien z. germ. Sagengesch.
Bd. I u. II, 1910/12.

noch seine Rittertat am Artushof vollbringt. Von der Mutter erhält er die ersten Hinweise auf religiöse Dinge, aber — und das ist sehr zu beachten — nur auf religiöse, nicht auf kirchliche; die Grundlagen des Gottesglaubens lehrt sie ihn, nicht die kultischen Gebräuche. Dies ist ein bemerkenswerter Unterschied gegen Chrétien, bei dem zu den Mahnungen, die die Mutter dem Sohn beim Abschied erteilt, auch die zum Besuch der Kirchen und Klöster gehört. Bei Wolfram hingegen geschieht die Unterweisung in den gottesdienstlichen Formen erst gleichzeitig mit der in den weltlichen: im Hause des Gurnemanz hört Parzival zum erstenmal vom Meßopfer[1]).

Die einzelnen Momente der Jugendgeschichte finden wir auch bei Chrétien, aber als ein Einmaliges, Gelegentliches. Der Vogelsang zeichnet die Stimmung des Sommermorgens, die religiösen Lehren der Mutter dienen zur Erklärung, warum Parzival die Ritter für Engel hält. Mit dieser Ritterbegegnung, dem Anfang der eigentlichen Handlung, beginnt ja Chrétien die Darstellung, und das französische Gedicht erhält durch dies Einsetzen in voller Bewegtheit einen besonderen Kompositionsreiz, durch die einleitende Zustandsschilderung des Augenblicks eine unvergleichliche Anmut.

Aber nicht um den Bericht des Handlungsverlaufs, der mit dieser Ritterbegegnung anhebt, sondern um das innere Werden seines Helden war es Wolfram zu tun. Die bei Chrétien gelegentlich erwähnten Einzelheiten sind bei ihm Charakterzüge des Knaben, Zeichen seines Werdens.

Diese Absicht der Wolframschen Dichtung zeigt sich auch in der von Chrétien sehr verschiedenen Behandlung der Ritter-

---

[1]) Diese ganz äußerliche Belehrung durch Gurnemanz aber ist nicht das Letzte, was Wolfram seinem Helden über den kirchlichen Kult zu sagen hat. Durch den Mund Trevrizents erst läßt Wolfram — an Chrétien anschließend und doch mit ganz eigener Vertiefung — Parzival, im Augenblick da dieser durch die schwerste Krisis hindurchgegangen und reif geworden ist, die tiefe Bedeutung dieses Kultes künden. „swaz dîn ouge ûf erden siht, / das glîchet sich dem priester niht. / sîn munt die marter sprichet, / diu unser flust zebrichet: / ouch grîfet sîn gewîhtiu hant / an daz hoehste pfant / daz ie für schult gesetzet wart: / swelch priester sich hât sô bewart / daz er dem kiusche kan gegebn, / wie möht der heileclîcher lebn?" (502, 13—22) (Ich zitiere nach dem Text der Lachmannschen Ausgabe).

begegnung selbst. Gerade an dieser Stelle tritt bei Chrétien das Dümmlingsmotiv besonders lebhaft hervor, die Szene ist ganz auf die Komik gestellt, die die törichten Äußerungen des Knaben hervorrufen. Bei Wolfram wirken Parzivals Fragen nicht so sehr töricht als kindlich-rührend; sie dienen wieder der Charakteristik, das Komische tritt zurück, wir fühlen vor allem: es ist die erste Berührung zwischen Parzival und der Welt seiner Zeit.

Mit den Abschiedsworten der Mutter beginnt dann für Parzival die Lehre, wie man sich in dieser Welt zu verhalten hat, beginnt auch bereits sein Mißverstehen, sein falsches Anwenden des nur Gelernten aber noch Unbegriffenen[1]). Mit Parzivals Ausritt ist der Moment gekommen, da es für ihn gilt, sich mit der menschlichen Gesellschaft auseinanderzusetzen, sich in sie hineinzufinden, ist zugleich auch das erste Stadium dieses Weges gegeben: Parzivals Reibungen mit den Formen der Gesellschaft, die Schulung des Unerfahrenen zum anerkannten Mitglied der höfischen Gemeinschaft. Dieser Kampf wird hier offen ausgefochten, weil Parzival als ein schon Herangewachsener in die Welt eintritt. Wo das Kind inmitten der Gesellschaft aufwächst, verdecken Gewöhnung, äußere Angleichung den Prozeß, der gleichwohl unter der Oberfläche auch dort sich vollzieht und so oder so in Krisen durchbricht.

Es geht Parzival mit den Lehren der Mutter nicht anders wie später auf höherer Stufe und gegenüber tieferen Aufgaben mit den Lehren des Gurnemanz. Das Abenteuer mit Jeschute enthält im Keim bereits das Grundmotiv, das später beim Gralerlebnis sein Schicksal entscheidend bestimmt. Mit dem besten Willen, im Glauben, einem Gebote zu folgen, tut Parzival Unrecht, zerstört er fremdes Glück. Man hat viel darüber gestritten, ob Parzivals Versagen vor dem Gral als Schuld oder Unglück zu verstehen ist[2]). Das Jeschutenabenteuer birgt schon den

---

[1]) Die Ähnlichkeit mit dem Motiv der Lehren im 'Ruodlieb' (vgl. o. S. 7) ist nur eine ganz äußerliche, da, wie die Analyse zeigt, erst im Zusammenhang des gesamten Aufbaues dieser Zug im 'Parzival' seine Bedeutung erhält.

[2]) Chrétien erklärt es ausdrücklich als Strafe für vorhergehende Schuld (an dem Tode der Mutter und dem des roten Ritters) und geht damit auch seinerseits bereits von dem alten Motiv der Erlösungsfrage ab, für das es natürlich keiner solcher Deutung bedurfte.

Schlüssel dazu: aus Unreife fehlt Parzival hier wie dort. Die Folgen seiner Irrung muß er tragen, nicht nach irgendeinem Gebot von Sühne oder Strafe, sondern vermöge eines Lebensgesetzes, das der Dichter eben hier sichtbar werden läßt.

Wohl enthüllt Parzivals Weg aus der Einsamkeit in die Welt auf Schritt und Tritt seine „tumbheit", seine Unreife. Aber schon der Ritter, der den Knaben im Walde trifft, beklagt nicht nur seine Torheit, sondern bewundert, ja beneidet zugleich seine Schönheit und vollkommene Bildung. „Dir hete got den wunsch gegebn, ob du mit witzen soldest lebn." Und dieser Zug kehrt immer wieder. Jeschute und Sigune nicht minder wie später die Ritter und Knappen am Artushof und das Gesinde des Gurnemanz sehen mit fast ehrfürchtigem Staunen das Wunder seiner Erscheinung[1]. Parzivals adlige Anlage leuchtet durch die Hülle seiner noch kindischen Torheit hindurch[2]. Früh auch zeigt sich seine außergewöhnliche Kraft[3], die dann in der Besiegung Ithers allen offenbar wird. Es ist hier nicht — wie bei Chrétien, wie im Tölpelmärchen[4] — um den Kontrast der Stärke gegenüber der Dummheit des Helden zu tun, sondern all diese Züge sind Zeichen dessen, was von Natur, wenn auch noch ungeformt, in Parzival liegt. „deiswâr du wirst noch saelden rîch", verheißt ihm Sigune

---

[1] Daß es im mhd. Epos üblich ist, die Schönheit des jeweiligen Helden zu preisen, darf nicht darüber täuschen, daß die üblichen Wendungen hier einen besonderen Nachdruck erhalten haben.

[2] In verwandter Weise und mit ausdrücklichem Hinweis auf Parzival läßt Wolfram im 'Willehalm' Rennewarts angeborenen Adel trotz seines niederen Standes hindurchscheinen. „ir neweder was nâch arde erzogn" (Willehalm 271, 25). Wie diese Betonung der angeborenen „art", die sich auch bei unstandesgemäßer Erziehung durchsetze, Wolfram von der Auffassung der übrigen höfischen Epiker mit ihrem Ideal der „zucht", der ritterlichen Ausbildung des Helden, wie sie etwa Gottfrieds Tristan erfährt, unterscheidet, darüber vgl. Julius Petersen, Das Rittertum in der Darstellung des Johannes Rothe, Straßburg 1909 (X. Erziehung, S. 142ff.). — Aber bei Parzival ist es nicht nur wie bei Rennewart die ritterliche Geburt, die edle Abstammung, die sich trotz ihrer Verleugnung verrät, vielmehr sollen hier jene angeborenen Vorzüge zugleich auf die höhere Bestimmung des Helden hindeuten.

[3] 120, 7ff.

[4] Siehe dazu auch den Märchentypus vom „starken Hans". Vgl. Panzer a. a. O.; v. d. Leyen, Das dtsch. Märchen. Leipzig 1917 (bes. Kap. IV „D. dtsch. Märchen im Hochmittelalter" S. 22ff.)

(139, 28). Durch all dies ist das Lachen der Cunneware gewissermaßen schon vorbereitet. Auch dabei ist der alte Märchenzug[1]) umgedeutet. Cunnewares Lachen weist auf Parzivals Bestimmung und Erwählung hin.

Und das ist das zweite Grundmoment der Dichtung, das wir uns von vornherein gegenwärtig halten müssen. Parzival ist wohl ein Werdender, aber er ist zugleich ein Erwählter. Er wird den Weg finden, denn der Preis ist ihm bestimmt. Die Krone schwebt von Anfang an unsichtbar über seinem Haupt, über alle Schwankungen seiner Bahn, alle Zweifel in seiner eigenen Brust hinweg ahnen wir ihm das Ziel bereitet.

Überall, wohin Parzival zunächst kommt, stößt er durch seine Unerfahrenheit in den Dingen der Welt an. Erst die Unterweisung des Gurnemanz macht dem ein Ende, lehrt ihn die Formen, die im damaligen gesellschaftlichen Leben üblich sind. Aber auch er vermag ihm nur die äußere Feile zu geben, die ihn den Sitten der Umgebung einfügt, nicht den inneren Ausgleich mit den Anforderungen der Welt. Zu ihm kann erst der langsame Weg allmählichen Reifens leiten, der für Parzival durch schweren Kampf hindurchführt.

Den Anfang des inneren Reifeprozesses, den allmählichen Übergang zum Anbruch der Männlichkeit bringt Parzival das Liebeserlebnis[2]). Der Eindruck Liazens gibt den ersten Anstoß; der in sehnsüchtiger Erinnerung von Gurnemanz Fortreitende ist nicht mehr der frisch drauf losstürmende Knabe von vorher. Was hier geweckt wurde, entfaltet sich in der Verbindung mit Condwiramurs. Parzivals Verhalten in der Hochzeitsnacht[3])

---

[1]) Vgl. ,,Goldene Gans". Grimms Märchen Nr. 64.

[2]) Auch hier werden wir an Rennewart gemahnt, bei dem Wolfram ebenfalls das Erwachen zum Manne unter der Wirkung der Liebe zeichnet.

[3]) Diese Vorgänge hat Chrétien nicht. Hingegen fand Wolfram für den nächtlichen Besuch der um Hilfe Flehenden bei ihm das Vorbild. Die Darstellung bei Chrétien ist nicht eindeutig. Ob Blancheflor sich hier sofort dem Perceval hingibt, wie die meisten Erklärer es verstehen (s. u. a. Morgan, Some women in Parzival, Journ. of Engl. Phil. 1913), oder mit Singer (a. a. O.) auch hier schon an ein keusches Beilager zu denken ist, ist nicht sicher zu entscheiden, da die betr. Stelle beides meinen kann.

(E cele suefre qu'il la beise
Ne ne cuit pas qu'il li enuit.

führt nur die bisherige Linie fort[1]). Es hat nichts mit Enthaltsamkeit zu tun[2]); Wagners Entgegensetzung von christlichem Gralkönigtum und sinnlicher Liebe liegt Wolfram ganz fern. Daß Parzival sein Weib zuerst unberührt läßt, ist nur ein weiteres Zeichen seiner „tumbheit", seiner noch knabenhaften Unerfahrenheit und Unerwecktheit, die, durch äußere Einwirkung nicht, oder kaum[3]), durchbrochen, in natürlichem Prozeß schließlich zur Mannheit reift.

Wollte Wolfram seinen Helden nur zur höchsten Spitze und Vollendung höfischen Rittertums führen, sollte dieser etwa der anerkannteste Ritter der Tafelrunde werden, wie es Gawan ist, so würde sich Parzival jetzt dem Abschluß und der Krönung seines Weges nähern. Aber für Parzival ist Höheres bereitet, er ist zum Gralkönig bestimmt, wozu alles Bisherige nur Vorstufe ist. Darum stehen ihm nun, da die Belehrung des Gurnemanz ihn den Formen der höfischen Gesellschaft angepaßt hat, da er durch die Liebe zu Condwiramurs innerlich zu reifen begonnen hat, erst die tiefsten Erlebnisse, die größten Aufgaben bevor.

> Ensi jurent tote la nuit
> Li uns lez l'autre boche a boche ...
> Tant li fist la nuit de solaz
> Que boche aboche braz abraz
> Dormirent tant qu'il ajorna."
> 2038/41 u. 2043/45 nach Baists Zählung.

Bei der ganzen Art Chrétiens scheint ès allerdings wahrscheinlich, daß der Vers „Ne ne cuit pas qu'il li enuit" ironisch zu verstehen ist. Wenn Singer Vers 2044 „que boche aboche braz abraz dormirent" wörtlich nimmt in dem Sinn, daß die Annäherung nicht weiter ging, so sei an die Tristanstelle 18204—18215 erinnert). Wie dem auch sei: selbst ein keusches Beilager konnte von Chrétien höchstens als Tölpelzug gemeint sein, nicht in der Bedeutung, die es bei Wolfram erhält. Denkbar wäre, daß Wolfram die Chrétien-Stelle in seinem Sinn mißverstand und ihn dies zu seinem Zug der drei keuschen Hochzeitsnächte anregte.

[1]) So deutet auch Kinzel Z. f. d. Ph. 18, 1886 S. 447 diesen Zug.

[2]) Die Erklärung aus der Geschichte des Stoffes führt auch hier irre. Mag es immer sein, daß, wie Singer (a. a. O.) ausführt, die Entwicklung des Gralstoffes die zunehmende Tendenz zeigt, den Gralssucher zum keuschen Helden zu machen, so hat das doch mit diesem Zug der W.schen Dichtung nichts zu tun. Daß Wolframs Auffassung der ehelichen Treue, sowie sein Begriff der kiusche ebenfalls nicht in solchen Zusammenhang gehören, darauf wird später noch zurückzukommen sein.

[3]) Der Lehre seiner Mutter und des Gurnemanz denkt Parzival nach der dritten Nacht. 203, 1ff.

Wir kommen zu dem entscheidenden Augenblick in Parzivals Leben, zu der versäumten Frage, die einen der Angelpunkte des Werkes bildet.

Man hat vielfach diese Frage als reine Mitleidsfrage gefaßt. Das natürliche Mitgefühl, das der Knabe noch bei der ersten Begegnung mit Sigune zeige, sei ihm durch die höfische Erziehung des Gurnemanz unterdrückt worden. Damit würde sich denn Wolfram in vollen Gegensatz zu den Regeln höfischen Anstands, wie er sie durch Gurnemanz vertreten läßt, stellen. Nun ist zwar zweifellos für Wolfram das übliche Ritterideal problematisch und sein Standpunkt gegenüber den gesellschaftlichen Formen seiner Zeit ein durchaus eigener und kritischer. Aber keinesfalls ist eine einfache Ablehnung der ritterlichen Norm durch Wolfram anzunehmen; er hätte dann nicht seinen Helden doch zunächst alle Rittertugenden erwerben und später beibehalten lassen und hätte die Vertreter rein weltlichen Rittertums nicht bei aller Distanz doch mit unleugbarer Sympathie und Anerkennung dargestellt.

Die Mahnung des Gurnemanz ist nicht einfach als erstarrte Formel einer von Wolfram bekämpften höfischen Etikette zu verstehen. Wie man Parzivals hemmungslose Wißbegier, so wie sie etwa bei der Ritterbegegnung im Walde hervorbricht, an jedem Kinde beobachten kann, so ist Gurnemanz' Frageverbot demgegenüber eine jederzeit übliche Forderung des Taktes, mit der der Mensch sein Eigenstes vor fremdem Betasten zu hüten strebt. Aber ein solches Taktgebot ist freilich nicht unbedingt. Wohl kann zudringliches Fragen verletzen, als ein Mangel an Zartgefühl, doch ebenso Schweigen als Kälte und Gleichgiltigkeit. Das Wissen um die Anwendung der Gebote menschlicher Gemeinschaft ist Ergebnis der Reife, erlangtes Gleichgewicht mit der Welt. Das hat Parzival noch nicht erreicht, jene Gebote sind ihm noch ein äußeres, fremdes Gesetz, dem er folgt, ohne zu begreifen, und dadurch, wie einst bei Frau Jeschute, unwillentlich Schaden anrichtet. Nicht die Regel des Gurnemanz ist schuld an dem Unheil, das sie schafft, sondern Parzivals Unreife, der sie zur Fessel wird.

Die Berührung mit der Welt hat Parzival seine Unbefangenheit genommen, weil sie ihm gezeigt hat, daß er bei den Menschen anstieß, und wir nehmen an ihm wahr, was kaum je einem Heranwachsenden erspart bleibt, daß auf die kindliche Ursprünglichkeit ein Stadium unsicherer Scheu und unfreier Gebundenheit folgt. So ist er beirrt, in seinem natürlichen Wesen gebrochen, ohne noch jene notwendigen Erfahrungen durchdrungen und zu wirklicher Lebensformung umgeschmolzen zu haben.

Auf dieser Stufe trifft ihn das Gralerlebnis.

Die Gralsfrage ist mehr als bloße Mitleidsfrage, mehr als Zeichen des Anteils am Schmerze anderer[1]). Das Leiden des Anfortas selbst ist nicht einfach menschliches Unglück, es ist nur eine der wunderhaften Erscheinungen, die Parzival auf Munsalvaesche sieht[2]), die Ergriffenheit, die sein Jammer in ihm auslösen soll, nur ein Teil der allgemeinen Erschütterung, die die Vorgänge beim Gral in dem Schauenden erwecken müssen. Tritt in der Szene bei Trevrizent entsprechend der Person des zum Einsiedler gewordenen Bruders des unglücklichen Königs der Gedanke des Mitleids mit dessen Leid in den Vordergrund, so erinnert doch Cundrie bei der Verfluchung (315, 25 bis 316, 27) auch an alles andere, das Parzival auf der Gralsburg sehen durfte, und Signe, die Erste, der Parzival begegnet, als er vom Grale kommt, und die seinen Fehl erfährt, hält ihm entgegen[3]): „Ir sâhet doch sölch wunder grôz: daz iuch vrâgens dô verdrôz!"[4]).

---

[1]) Wagners Deutung „durch Mitleid wissend" mag mit Ursache sein, daß diese Erklärung heute fast allgemein gilt.

[2]) „iuch solt iur wirt erbarmet hân, an dem got wunder hât getân", sagt Signe. (255, 17/18).

[3]) 255, 5/6.

[4]) Es scheint hinsichtlich der Frage eine gewisse Verschiebung bei Wolfram vorzuliegen, in der Weise, daß in den späteren Büchern das Leiden des Anfortas dabei immer mehr in den Vordergrund tritt. Bei Parzivals Gralbesuch wird sein Schweigen im Anschluß an das Speisewunder erwähnt, später wird ihm nur noch das mangelnde Erbarmen mit dem König vorgeworfen. Wolfram mochte die Empfindung haben, daß die Frage nach den mehr äußerlichen Wundern des Grals leicht als bloße Neugier wirken könne, während in der nach dem Leiden des Anfortas von vornherein ein Gefühlsmoment schwingt. Vielleicht ist dies auch der Grund, warum die Formulierung Chrétiens bei Wolfram nicht beibehalten ist. Denkbar wäre auch, daß bei dem Gewicht, das die Krankheit des Anfortas bei Wolfram erhält, der religiöse Hintergrund, den der Gralgedanke im 'Parzival' hat, mitspricht, insofern die christliche Betonung des Leidens darin unwillkürlich zum Ausdruck gekommen sein mag.

Die geheimnisvolle Wunde des Königs gehört zu dem über-
mächtigen Gesamteindruck, den der Besucher der Gralsburg
empfängt. Mehr als die äußeren Zaubererscheinungen, wie etwa
die Speisespende des Gral, ist sie geeignet, in tiefster Seele zu
treffen. Nicht bloßes Mitgefühl spricht die Frage nach ihrer Bedeutung aus, sondern den Schauer eines, der von einem Erlebnis
angerührt wurde, das über die Grenzen alltäglichen Daseins
hinausgeht.

Was Parzival beim Gral schaut, ist „wunder", ist, wie Wolfram
immer wieder hervorhebt, das Höchste, das die Erde birgt und
ihm zeigen kann. Wem zuteil wurde, dies zu erfahren, der muß —
das liegt in der Erwartung der Frage beschlossen — davon überwältigt werden, muß unwillkürlich jene Frage stellen, die nichts
anderes ist als Zeichen dieses überwältigenden Eindrucks, —
oder er ist stumpf, unfähig das Mysterium aufzunehmen.

Parzival ist nicht stumpf. Lange Jahre einsamen Suchens
in der Folge verraten, was das Erlebnis des Grales ihm bedeutete.
Aber der Augenblick, der ihn zum erstenmal hinführt, findet
ihn noch nicht reif dafür. Er sieht alles und er denkt an gelernte
Regeln. „wol gemarcte Parzivâl / die rîcheit unt daz wunder
grôz: / durch zuht in vrâgens doch verdrôz"[1]). Daß solche Erinnerung ihn zu hemmen vermag, zeigt, daß er nicht übermannt,
nicht bis ins Innerste getroffen ist. In dem Stadium der Unsicherheit und Gebundenheit, in dem er sich befindet, ist er noch
nicht bereitet, sich den Wundern von Munsalvaesche ganz hin-
zugeben. Er wurde für wert gehalten, sie zu schauen, und scheint
unwert, sie zu teilen.

Ist die Frage vor dem Gral als unwillkürlicher Ausbruch
innerer Erschütterung gedacht, so ist ohne weiteres klar, warum
sie „ungewarnet" geschehen muß. Warum aber behält gleichwohl
die Frage Gültigkeit, als Parzival sie bei seiner Wiederkehr zur
Gralsburg dennoch stellt, nun, da sie zur bloßen Scheinfrage
geworden ist und er längst das weiß, wonach er fragt? Man könnte
auf den ersten Blick geneigt sein, hier ein Stück Rohstoff, bei-
behaltenen Bestandteil der Überlieferung anzunehmen, aber
näheres Zusehen zeigt uns auch diesen Zug in die Dichtung ein-
geschmolzen. Zunächst ist sich offenbar nicht nur der Dichter,

---

[1]) 239, 8—10.

sondern auch Parzival selbst darüber klar, daß seine Frage — die ihn ja nun auch nicht mehr der Gralswürde wert beweisen, sondern nur noch den König heilen soll — die Bedingung nicht mehr erfüllt[1]). Denn ausdrücklich bittet er vorher im Gebet darum, daß die Heilung darauf erfolgen möge[2]), und erwartet den Ausgang als Zeichen göttlicher Gnade[3]). Dann aber ist diese Frage auch nur die formale Wiederholung einer anderen, die Parzival schon früher, und zwar wirklich „ungewarnet" gestellt hat.

Denn wenn damals, da ihm zum erstenmal der Anblick des Grales und seiner Welt gewährt worden war, Parzivals Seele noch nicht erschlossen genug gewesen war, dies alles voll in sich aufzunehmen, so ist doch die Erinnerung an die Stunden auf Munsalvaesche mit ihm gegangen und die Sehnsucht nach dem dort Verlassenen mehr und mehr zum eigentlichen Inhalt seines Lebens geworden. Nicht nur die Kränkung seiner Ehre treibt ihn nach Cundries Fluch unstet davon[4]), sondern vor allem die Verzweiflung darüber, daß er nie wiedersehen soll, woneben alles andere ihm nichtig wird. Der Gral wird ihm zum Ziel, um das er sich selbst die Nähe des geliebten Weibes versagt und nach dem er die Welt durchzieht. Und als er nun nach fünfjährigem Suchen von Trevrizent hört, daß dieser um den Gral weiß, da stellt er die Frage nach allem, was er dort geschaut. Diese Frage ist für ihn natürlich ganz ohne Beziehung zu der einst geforderten

---

[1]) Freilich erwarten alle von dieser Frage mit Sicherheit die Erlösung des Königs. Das beweisen die Worte Cundries: „den künec Anfortas nu nert / dîns mundes vrâge, diu im wert / siufzebaeren jâmer grôz", wie das über Orgeluse Gesagte: „Orgelûs durh liebe weinde, / daz diu vrâg von Parzivâle / die Anfortases quâle / solde machen wendec." (781, 27/29 u. 784, 4—7). In Parzivals Ernennung zum Gralkönig liegt die Frage und ihr Erfolg schon beschlossen.

[2]) „sîn venje er viel des endes dar / drîstunt zêrn der Trinitât: / er warp daz müese werden rât / des trûrgen mannes herzesêr." (795, 25—27).

[3]) „op diu gotes güete an mir gesige, / des wirt wol innen disiu schar." (795, 22/23).

[4]) Es ist zu beachten, daß seiner Ehre in den Augen der anderen durch den Fluch keine Kränkung erwächst, niemand von der Tafelrunde daran Anstoß nimmt, man ihn ungern ziehen sieht und ihn später mit höchsten Ehren wieder aufnimmt; daß er selbst die Verfluchung soviel tiefer empfindet, ist ein Zeichen seines Hinauswachsens über die höfische Gesellschaft.

Erlösungsfrage, die ihm, wie er indes erfahren, den Gral erworben hätte und um deren Versäumnis er verflucht wurde. Sie ist einfach Ausdruck der Sehnsucht, die ihn unaufhörlich treibt, Zeichen dafür, daß jetzt eingetreten ist, was die Bedingung zur Gralswürde ausmacht: daß der Gedanke an die Geheimnisse Munsalvaesches ihm zum brennenden Rätsel geworden ist, das sein ganzes Dasein beherrscht.

Parzival hat den Gral nur geschaut, um ihn wieder zu verlieren. Er hat ihn verloren, um ihn in unablässigem Suchen wiederzugewinnen. Schon Lachmann hat hervorgehoben, daß der Gral dem noch nicht dafür Reifen gezeigt wird, um seinem Leben das Ziel zu geben, von dem es seine Richtung empfängt[1]). Ahnen wir von vornherein, daß Parzival für Hohes geschaffen ist, daß er einer Bestimmung entgegengeht, so wird doch diese Bestimmung erst sichtbar, da der sonst unzugängliche Weg nach der Gralsburg ihm geöffnet wird, wird er selbst im Streben nach dem ihm Offenbarten und Entrissenen aus einem ziellos Hintreibenden zum Kämpfer um Letztes und Höchstes.

Es gewinnt — mag immerhin, wie uns Chrétien zeigt, die Quelle diese Reihenfolge schon besessen haben — in der Wolframschen Darstellung einen tiefen Sinn, daß Parzival in der Zeit zwischen der Verfehlung beim Gral und der Verfluchung alle seine weltlichen Angelegenheiten ins Reine bringt, die Spuren seiner früheren Torheiten und seines ersten Auftretens am Artushof völlig auslöscht und als gleichwertig anerkannter Ritter in höchster Ehre in den Kreis der Tafelrunde aufgenommen ist, als ihn der Fluch trifft. An denselben Hof, der ihn einst in seiner Narrenkleidung verspottete, zieht Parzival nun begeistert empfangen ein, Sieger nicht nur durch die unmittelbar zuvor vollbrachten Gefechte, sondern als ein Ritter, dem durch die Gefangenen, die er Cunneware sandte, längst der Ruf höchster Ehre und Fähigkeit vorangegangen ist. Cunnewares Lachen ist vielfach gerechtfertigt, was es verhieß, scheint eingetroffen. Dabei zeigt die gänzliche Entrücktheit, in der Parzival vor den Blutstropfen die Ritter nur wie im Traume und ohne es zu wissen

---

[1]) „Nur daß er nicht in dem Weltlichen versinken soll, ward ihm jetzt das „Höchste gezeigt, das Unbestimmte auf einen Punkt geheftet und eine unauslöschliche Sehnsucht nach der größten Würde und Tugend in ihm erregt." (Ztschr. f. d. A. 23 Anz. 5, S. 289, 1879).

schlägt, — ein Moment, das Wolfram ganz anders herausgearbeitet hat als Chrétien und bei dem er neben der Sehnsucht nach Cond-wiramurs auch die nach dem Gral heranzieht[1]) — wie fern er trotz alledem innerlich diesem Ritterleben schon steht, daß er nur nebenher, halb mechanisch und wie selbstverständlich, vollführt, was dort als höchste Leistung gilt.

Parzival scheint alles überwunden zu haben; an die Stelle des Toren, der überall anstieß, ist der gefeierte Held getreten, den die Welt bewundert.

> „Dô truoc der junge Parzivâl
> âne flügel engels mâl
> sus geblüet ûf der erden.
> Artûs mit den werden
> empfieng in minneclîche.
> guots willen wâren rîche
> alle dien gesâhen dâ.
> ir herzen volge sprâchen jâ,
> gein sîme lobe sprach niemen nein:
> sô rehte minneclîcher schein."   (308, 1—10.)

Er steht auf dem Gipfel des Erfolgs — und muß in diesem Augen-blick erfahren, daß er vor dem Höchsten versagt hat, daß ihm ein Preis auserkoren war, um den er sich selbst gebracht hat.

Die Entwicklung Parzivals bis zu diesem Zeitpunkt war der Weg des Sichhineinfindens in die menschliche Gesellschaft, die Schwierigkeiten, die sich ihm dabei ergaben, waren die Reibungen, in die seine Unerfahrenheit ihn gegenüber den gültigen Gewohn-heiten dieser Gesellschaft brachte. Scheinbar jetzt so weit, daß er ihr gewachsen ist, ist er doch in Wahrheit nur dahin gelangt, daß er sich durch ihre Gesetze gebunden fühlt, nicht so weit, daß er über ihnen steht. Vor dem großen Erlebnis, das in die Grenzen üblichen Daseins nicht einzufangen ist, muß er sich plötzlich als unzureichend erkennen. Damit steht Parzival vor einer Erschütte-rung, die an die Grundlagen des Lebens selbst rührt, das er bisher als ein Gegebenes hingenommen hat. Sich der Welt einzufügen,

---

[1]) „sîne gedanke umben grâl / unt der küngîn glîchiu mâl, / iewederz was ein strengiu nôt" (296, 5—7).

war ihm bis jetzt Aufgabe gewesen. Nun zum erstenmal erwacht in ihm die Frage nach dem Sinn der Welt.

Als williger Schüler der Lehren, die ihm erteilt wurden, hat er die oberste Würde verscherzt, hat den Vorwurf der Stumpfheit und seelischen Minderwertigkeit auf sich nehmen müssen. Das läßt ihn irre werden an dem, was ihm bisher gegolten hat. Zunächst an den Lehren selbst, die schuld an seinem Unglück sind. „Sol ich durch mîner zuht gebot / hoeren nu der werlte spot, / sô mac sîn râten niht sîn ganz: / mir riet der werde Gurnamanz / daz ich vrävellîche vrâge mite"[1]). Man beachte, daß sich Parzival damit nicht in Gegensatz gegen die ritterlichen Normen stellt, wie er denn ja ritterliches Wesen auch weiterhin durchaus beibehalten hat, sondern daß er sie nur als unvollständig empfindet; es wird ihm klar, daß die Mahnung seines Lehrers noch nicht das Letzte enthielt, daß diese Vorschrift nicht genügt, um danach das Leben zu formen, daß er selbst Weg und Richte sich finden muß.

Aber auch alles andere, was ihm bisher sicher und selbstverständlich war, wird ihm durch diese Erfahrung in Frage gestellt. Die religiösen Grundlagen, die einst der Knabe empfangen hat, wanken ihm. Wie kann der Gott, von dem ihm die Mutter gesprochen hat, der mächtige und lichte, ihn, der das Beste gewollt hat, so fehlgehen lassen? Keine theologische Spekulation ist es, die Parzival anstellt, es ist ein primitives Sichauflehnen gegen das, was ihm widerfahren ist.

Mit diesem religiösen Seelenkampf Parzivals erreicht das Werk erst seine letzten Gründe. Hat sich Parzival bisher mit dem Leben seiner Zeit auseinandergesetzt, mit den Formen, die in einer bestimmten Gesellschaft zur Norm erhoben worden waren, so nun erst mit dem Leben an sich, den Wurzeln menschlichen Seins. In ganz andere Schichten beginnt nun die Dichtung, beginnt der Entwicklungsgang des Helden einzudringen.

Hier setzt jener „zwîvel" ein, von dem Wolfram im Eingang seiner Dichtung[2]) vordeutend spricht. Ob diese Eingangsverse das Grundmotiv des 'Parzival' angeben wollen, oder ob es sich dabei um bloß allgemeine, mit dem Epos nur lose verknüpfte Be-

---

[1]) 330, 1—5.
[2]) I, 1—14.

trachtungen handelt, ist ja eine alte, oft wiederaufgenommene Streitfrage. Mag man auch zu weit gehen, wenn man in diesem Eingang das eigentliche Thema des Werkes ausgesprochen sehen will, da der Gehalt des 'Parzival', wie schon aus unserer Darstellung hervorgeht, damit nicht entfernt erschöpft ist, so ist doch gewiß, daß das Problem der Eingangsstrophen dem entspricht, was gerade in Parzivals nun beginnendem Entwicklungsstadium Gestalt geworden ist. Blicken wir von dem Erlebnis, das Parzival jetzt durchleidet, von dem weiteren Verlauf seines inneren Weges und der Lösung des Konfliktes auf die Worte des Eingangs zurück, so fällt von hier aus ein Licht auf den Sinn der vielumstrittenen Verse, auf die Bedeutung auch vor allem, die der Begriff „zwîvel" dort in Wolframs Munde gehabt haben mag[1]). Parzivals Erlebnis ist so wenig mit einer im engeren Sinne theologischen Deutung zu erschöpfen, als Versündigung an dem kirchlich geforderten Dogma, wie andererseits der allgemeine Begriff der Untreue nicht das trifft, was in seiner Seele vorgeht. So gewiß Wolfram die inneren Vorgänge, die er künstlerisch vergegenwärtigt, nur im Rahmen der ihm und seiner Zeit geläufigen dogmatischen Vorstellungen zum Ausdruck bringen konnte[2]), so gewiß werden wir die lebendige Bewegung, die in diesen Sinnbildern pulst, nur dann spüren, wenn wir bis zu dem ursprünglichen Erleben durchdringen, das ihnen — ebenso wie den gleichzeitigen festgewordenen theologischen Formeln — zugrunde liegt, sie geschaffen hat.

Parzivals „zwîvel" ist Irrewerden am Sinn seines Lebens. Es ist derselbe Seelenzustand, dem Iphigenie zu verfallen bangt:

> „O daß in meinem Busen nicht zuletzt
> Ein Widerwille keime, der Titanen,
> Der alten Götter blutger Haß auf Euch
> Olympier nicht auch die zarte Brust
> Mit Geierklauen fasse!",

vor dem sie bewahrt zu werden fleht:

> „. . . Rettet mich
> Und rettet Euer Bild in meiner Seele!"

---

[1]) Vgl. darüber den Anhang.

[2]) Vgl. darüber: Sattler, Die religiösen Auffassungen W.s v. E., Graz 1895 (Grazer Studien zur dtsch. Phil. I); Ehrismann, Z. f. d. A. 49, 1908, W.s Ethik.

Gottes „Bild" ist in Parzivals Seele verdunkelt und damit zugleich das Bild der Welt, Wert und Deutung seines Daseins scheint ihm verloren.

Wir dürfen hier nicht an religiöse Skepsis denken, wie wir sie im Entwicklungsroman der Aufklärungszeit kennen lernen werden. Niemals stellt Parzival Gottes Existenz in Frage; auch in seinen schwersten Zweifeln ist die Tatsache göttlicher Weltlenkung für ihn ein selbstverständlich Gegebenes. Für sich selbst aber hat er die lebendige Beziehung zu diesem Lenker und damit den festen Halt seines Lebens verloren. Aus der Bahn geschleudert, irre geworden an den Lehren, denen er bis dahin gefolgt war, hat ihn das Vertrauen verlassen. Er empfindet sein Dasein nicht mehr getragen von der göttlichen Macht, die ihm darum ohne den Willen oder die Kraft zur Hilfe scheint[1]). Wohl ist es ein religiöser Seelenkampf, aber er ist nicht aus dem Gesichtspunkt des prinzipiell erschütterten Glaubens gesehen. Durch Parzivals Seelenkonflikt wird nicht die allgemeine Ordnung der Welt für den Dichter fraglich. Nur der Entwicklungsgang seines Helden ist an einen Punkt gelangt, da ihm Zuversicht und Sicherheit zu entschwinden drohen.

Parzival steht hier auf einer Scheidelinie. Sein plötzliches Schwanken birgt die Gefahr in sich, daß ihm völlig der Pfad schwindet, daß sein Leben, jeder Richte bar, entgleist. Er spricht selbst vor Trevrizent davon, daß er jahrelang führerlos umhergezogen sei. „Wie lange ich var wîselôs"[2]).

Aber Parzival wird wohl irre, doch er verliert sich darum nicht. Sein Zweifeln bringt ihn nicht dahin, daß er sich steuerlos treiben ließe. Im Gegenteil tritt eigentlich nun erst sein Zielwille recht hervor, trotz des Zwiespaltes, der sich ihm aufgetan hat, trotz seiner erwachten Feindschaft gegen das Geschick. Ist ihm der Glaube an so vieles das ihm feststand ins Wanken geraten, der Sinn seines Lebens selbst verdunkelt, so hält er um so fester an dem einzigen Leitstern, der ihm unverrückt geblieben ist: der wandellosen Treue gegen seine Gattin, hält umso fester auch an dem Ziel, das er erringen will, der Erwerbung des Grals[3]). Dies

---

[1]) 332, 1—4.   [2]) 460, 29.

[3]) Wie er früher die Gefangenen an Cunneware sandte, um seine Ritterehre am Artushof herzustellen, so sendet er sie nun — entsprechend seinen jetzigen Zielen — auf die Gralsuche oder zu seiner Gattin.

zähe Festhalten an dem Ergriffenen und an dem Erstrebten bewahrt Parzival davor, ins Unwegsame zu geraten. Es ist jener
„unverzaget mannes muot", von dem der Eingang spricht, jene
„staete", die ihn unerschütterlich in dem Suchen nach dem Höchsten,
das ihm schon so nah gewesen und nun entzogen ist, ausharren läßt.
Ohne Vertrauen auf göttliche Hilfe, allein, ohne jeden Rückhalt,
nur von seinem leidenschaftlichen Wollen getragen, läßt er doch
nicht ab, um das zu ringen, was er als Wertvollstes und Größtes,
als einzig erstrebenswerten Preis des Lebens erkannt hat.

Die Erschütterung seines Glaubens führt Parzival nicht zum
Aufgeben des Ziels, nicht zum Verlust des seelischen Schwerpunkts,
wohl aber zu etwas anderem: zum Trotz, zur Auflehnung gegen
das Geschick, gegen Gott.

Von diesem Kampfe gegen Gott — wie überhaupt von der
innerlichen Vertiefung der Wirkung, die die Verfluchung auf
Parzival hat, — weiß Chrétien nichts. Bei ihm vergißt Parzival
nur Gottes, er ist von der Suche nach dem Gral und dem Schmerz
um seinen Verlust so erfüllt, daß er für nichts anderes Zeit hat.
Das ist die Schuld, die er dem Priester beichtet, durch den er
dann auch seine übrigen Sünden und ihre Bestrafung durch die
versäumte Frage erfährt und Vergebung erhält.

Aber gerade dieser bewußte Kampf gegen Gott ist ein bedeutsames und bezeichnendes Moment der Wolframschen Dichtung.
In diesem Zuge spricht sich unmittelbar das ritterliche Empfinden
aus, über die äußere Form ritterlicher Sitte hinaus ein ursprünglich ritterliches, ja, heldisches Weltgefühl. Der Held beugt sich
dem Schicksal, den Göttern nicht, — der germanische so wenig
wie der griechische — er nimmt den angebotenen Kampf auf.
Auch Parzival fühlt sich durch das was ihm widerfahren herausgefordert: er will den Kampf ausfechten. Er hat sich bisher als
im Dienste Gottes betrachtet, nun sagt er diesen Dienst auf. „ich
was im diens undertân, / sît ich genâden mich versan. / nu wil i'm
dienst widersagn: / hât er haz, den wil ich tragn."[1]. Aus eigner
Kraft will er erzwingen, was ihm versagt wurde. Das ist die Haltung,
die er während der ganzen Zeit, in den fünf Jahren seiner freud-
losen Einsamkeit, durchhält. Ausdrücklich trennt er sich noch
von den Pilgern aus dem Bewußtsein heraus, daß er ihre religiösen

---

[1] 332, 5—8.

Gefühle nicht teilt: „sît ich gein dem trage haz, / den si von herzen minnent / unt sich helfe dâ versinnent"[1]).

Erst das Zusammensein mit Trevrizent bringt die Wendung, führt Parzival zu der letzten und tiefsten Erkenntnis, die ihn aus der inneren Einsamkeit und Verlassenheit erlöst und ihn völlig zum Aufnehmen des höchsten Mysteriums reift. Was hier der Mund eines anderen ausspricht, ist doch im Grunde nur Parzivals eigenes seelisches Erleben, das sich bereits vor der Belehrung durch Trevrizent anbahnt. Wenn er nach der Begegnung mit den Pilgern dem Roß den Zügel überläßt[2]) in der Überlegung, es gehen zu lassen, wohin Gott es führen wolle, so gibt er damit sein Schicksal zum erstenmal wieder in die höhere Hand, vertraut sich, nach dem gewaltsamen Suchen aus eigener Kraft, zum erstenmal wieder willig dem, was über ihn bestimmt ist. „mac gotes kunst die helfe hân, / diu wîse mir diz kastelân / dez waegest umb die reise mîn: / sô tuot sîn güete helfe schîn: / nu genc nâch der gotes kür"[3]). Dieser Entschluß ist nur die Umsetzung der Gedanken, die die Pilgerbegegnung in ihm hat keimen lassen: „waz ob got helfe phligt, / diu mînem trûren an gesigt?"[4]) Die Worte verraten, wie, noch zögernd, unsicher, sich ein wiedererwachendes Hoffen in ihm zu regen beginnt, ein zages Fragen, ob nicht doch gerade in jenem Zusammenhang mit Gott, den er zerriß, die Erfüllung für sein Suchen bereitet ist. Und nun erst, da er nicht mehr den Weg willkürlich finden zu können wähnt, sondern, ein Geführter, sich der ungewollten Weisung überläßt, gelangt er dorthin, wo seine Reife sich in letzter Einsicht vollendet: das Gralsroß[5]), das er reitet, trägt ihn zu Trevrizent.

---

[1]) 450, 18—20.

[2]) Auch diesen Zug hat Chrétien nicht; bei ihm wird Parzival der Weg zu dem Einsiedler von den Pilgern gezeigt. Auf diesen sehr wesentlichen Unterschied hat schon Helm (Paul-Braune-Beiträge 41, S. 367, 1916) hingewiesen. Überhaupt fehlt das Motiv, daß der Gral nicht errungen, der Weg zur Gralsburg nicht gefunden werden kann, bei Chr. gänzlich.

[3]) 452, 5—9.

[4]) 451, 13/14.

[5]) Helm a. a. O. betont, daß das Pferd diesen Weg in seiner Eigenschaft als Gralspferd finde. Darum habe Wolfram den bei Chr. fehlenden Kampf mit dem Gralritter eingeschoben. Immerhin ist aber darauf hinzuweisen, daß das Roß, das Parzival das erste Mal — ebenfalls ungelenkt — zur Gralsburg führt, kein Gralsroß ist.

Was vorher schon unklar in ihm aufdämmerte, das erhebt ihm dieser zu voller Erkenntnis. Auf den Bericht seiner Feindschaft gegen Gott hat er die Antwort, daß man Gott nichts abzwingen könne. „Irn megt im ab erzürnen niht"[1]. Als er von seiner Sehnsucht nach dem Gral spricht, weiß der Einsiedler dagegen: „jane mac den grâl nieman bejagn, / wan der ze himel ist sô bekant / daz er zem grâle sî benant"[2].

Daß der Gral nicht erworben werden kann, daß man zu ihm erwählt sein muß, wird nicht erst hier ausgesprochen. Es wird schon früh angedeutet: bereits Sigune verkündet über die Gralsburg: „swer die suochet flîzeclîche / leider der envint ir niht / . . . ez muoz unwizzende geschehen, / swer immer sol die burc gesehen"[3]. Man bemerke auch, daß Parzival schon beim ersten Mal nach Munsalvaesche geführt wird in einem Augenblick, da er, in Gedanken an Condwiramurs, das Roß ungelenkt dahingehen läßt. Daß nur der Berufene den Gral erlangt, dies immer wiederkehrende Motiv zieht sich wie ein roter Faden durch die Dichtung; es ist unlöslich mit Wolframs Vorstellung vom Gral, mit der Grundidee des ganzen Werkes verkettet.

Daß Gott nichts abzuzwingen ist und daß der Gral nicht „erjagt" werden kann, sind nur zwei verschiedene Seiten desselben Grunderlebnisses. Es ist eins der tiefsten religiösen Erlebnisse — das Wort „religiös" im weitesten Sinne genommen —, wie es uns in wechselnder Form immer wieder entgegentritt, das Wolfram in solcher Weise zum Ausdruck bringt: jenes Erlebnis, daß die höchste Weihe, die letzte Offenbarung Gnadengeschenk ist, daß sie nicht zu erzwingen, nicht gewaltsam zu erstreiten ist.

Daß Parzival mit dieser Einsicht, die ihm der Aufenthalt bei Trevrizent beschert, eine innere Wandlung durchlebt, daß er den Widerstand gegen Gott aufgibt und sich fürderhin vertrauend göttlicher Bestimmung überläßt, ist unzweifelhaft. Wenn es uns nicht schon die ganze veränderte Haltung Parzivals zeigte, seit er mit der Besiegung Gawans wieder in unseren Gesichtskreis tritt, so würde es des Dichters eigene Äußerung beim Gefecht mit Feirefiz bestätigen, die uns sagt, daß Parzival „wol getrûwet gote, / sît er von Trevrizende schiet, / der im sô herzenlîchen riet"[4].

---

[1] 463, 1.   [2] 468, 12—14.
[3] 250, 26—30.   [4] 741, 26—28.

Aber freilich, das Suchen nach dem Gral hat er auch jetzt, trotz Trevrizents Belehrung, nicht aufgegeben[1]). Und als Trevrizent den zum Gralkönig Ernannten wiedersieht, erklärt er sich überwunden: Parzival sei es gelungen, den Gral zu erstreiten: „groezer wunder selten ie geschach, / sît ir ab got erzürnet hât / daz sîn endelôsiu Trinitât / iwers willen werhaft worden ist ... ez was ie ungewonheit, / daz den grâl ze keinen zîten / iemen möhte erstrîten: / ich het iuch gern dâ von genomn. / nu ist ez anders umb iuch komn"[2]). Hier scheint ein Widerspruch vorzuliegen. Parzival hat eingesehen, daß er nicht aus eigener Kraft erkämpfen kann, was nur die Gnade gewährt, was nur dem Erwählten zuteil wird, und doch ringt er weiter nach dem Ziel und gewinnt es. Aber dieser Widerspruch ist nur ein scheinbarer. Diese Doppelheit ist eine seelische Tatsache. Es ist die unbegreifliche und doch nicht wegzuleugnende Zweiheit, daß kein Suchen und Wollen die Weihe erzwingen kann und daß doch eben das Suchen, das Wollen zu ihr hinführt. „... und meine ehrengift Wird nicht mit zwang errungen, dies erkenn. Ich aber bog den arm an seinen knieen Und aller wachen sehnsucht stimmen schrieen: Ich lasse nicht du segnetest mich denn." (Stefan George). Darum ist es kein Mangel, wie man gemeint hat, daß Wolfram nicht klar entschieden habe, wie weit die eigene Kraft Parzivals, wie weit die Gnade bei der Erreichung seines Lebensziels den Ausschlag gegeben habe.[3])

---

[1]) S. Buch XI, 559, 18 „er reit hie vorschen umben grâl".

[2]) 798, 2—5, 24—28. Bekanntlich ist dieser Widerruf verknüpft mit dem anderen von Trevrizents früherer Aussage über die neutralen Engel. Der Zusammenhang zwischen beiden ist nicht recht ersichtlich. Denn wenn der Einsiedler durch die Engelerzählung Parzival vor dem seiner Meinung nach vergeblichen Ringen um den Gral bewahren wollte („ich louc durch ableitens list / vome grâl, wiez umb in stüende"), so hätte er das ja viel eher dadurch erreicht, daß er die Wiederaufnahme der Abgefallenen für unmöglich, als dadurch, daß er sie für möglich erklärte. Am wahrscheinlichsten bleibt, daß, wie mehrfach ausgesprochen (so z. B. Singer, Abhandlungen z. germ. Phil., Festgabe f. Heinzel, 1898, S. 9ff.), der Widerruf nur den Grund hatte, daß die erste Auffassung unkirchlich war. Dann würde es sich also nur um ein Einschiebsel ohne Zusammenhang mit der übrigen Stelle und dem Gedankengang des Werkes handeln.

[3]) So Ehrismann, Wolfr.s Ethik, Ztschr. f. d. Alt. 49, 1908, S. 405. „Aber das Verhältnis zwischen Willen und Gnade und vor allem von

Jede solche Scheidung hätte den seelischen Vorgang zerschnitten, der hier künstlerische Gestaltung gefunden hat, seine Tiefe verflacht. Daß beides untrennbar ist, daß der scheinbare Widerspruch in einer höheren Einheit verschmolzen ist, macht ja Wesen und Geheimnis dieser ewigen Erfahrung aus. Daß Parzival innerlich bereitet ist, daß er mit allen Fasern seiner Seele nach dem Gral verlangt, läßt ihn erst Gralkönig werden, und doch würde kein Suchen, kein Kämpfen um dies Ziel es ihm erobern, wenn es ihm nicht bestimmt wäre.

Mit jenem Wissen hat Parzival die oberste Stufe seiner Entwicklung erreicht und ist für die erkorene Würde reif geworden. Über äußerlich zu Erlernendes wie über die Beherrschung der alltäglichen Lebensformen und -Notwendigkeiten hinweg ist er zu den innersten Gründen des Erlebbaren gelangt, hat den Weg seiner Entfaltung ganz durchmessen und das volle seelische Gleichgewicht, die Einheit mit der Welt gefunden. —

Neben der Gralssehnsucht hatte Wolfram in Parzivals Treue zu seinem Weibe dessen zweiten Halt gesehen, ja, in der Zeit der Gottverlassenheit war diese des Einsamen einziger Trost gewesen. Dies Moment gewinnt einen tieferen Sinn, wenn wir uns erinnern, daß dem Gralkönig nur die eheliche Liebe erlaubt, der Minnedienst aber verboten ist, ja, daß für die Übertretung dieses Geheißes Anfortas sein Siechtum empfing. Daß Parzival von selbst, aus innerem Antrieb, seiner Gattin unwandelbar treu bleibt und jeden Minnedienst ablehnt, weist wieder auf seine Erwählung hin, zeigt ihn zur Gralswürde geboren.

Am Ende der Entwicklung des Helden findet nun auch dieses Motiv seinen Abschluß: Als Parzival die Botschaft seiner Einsetzung zum Gralkönig empfängt, erhält er zugleich die erste Kunde seiner Vaterschaft. Welche Bedeutung Wolfram diesem menschlichen Verhältnis beimaß, verrät sich bei der früheren ersten Erwähnung von Parzivals Söhnen durch den Dichter: „mit rehter

---

der mitsprechenden Prädestination ist vom Dichter nicht scharf ausgeprägt. Die Idee ist nicht genügend herausgearbeitet. Darin liegt die künstlerische Unvollkommenheit des Werkes in erster Linie." Es sei zum Vergleich für den logischen Widerspruch, der doch eine Erlebniseinheit ist, noch auf das Paulus-Wort hingewiesen: „Schaffet Eure Seligkeit mit Furcht und Zittern, denn Gott wirkt beides, das Wollen und das Vollbringen."

kiusche erworben kint, ich waen diu smannes saelde sint"[1]). Daß
Parzival seine Vaterwürde erfährt, ist so eine neue Bestätigung
dessen, daß er die volle Mannesreife erlangt hat, daß sein Werdegang vollendet ist. Dies Moment ist darum beachtenswert, weil
es uns an das Motiv des 'Wilhelm Meister' gemahnt: Wilhelm,
der im Turm seinen Lehrbrief empfängt, erfährt auf seine Frage,
daß Felix sein Sohn sei, und der Abbé erklärt daraufhin seine
Lehrjahre für abgeschlossen.

Mit Parzivals Verkündigung zum Herrn des Grals ist der Ring
der Dichtung geschlossen. Was uns schon in den Anfängen von
Parzivals Leben der Eindruck des Knaben ahnen läßt, Cunnewares
Lachen dann deutlicher ausspricht, was dadurch, daß Parzival
nach der Gralsburg geführt wird, ein bestimmes Gesicht erhält,
das vollendet sich jetzt: Parzival ist der Berufene, der den ihm
bereiteten Preis gewinnen mußte und gewonnen hat, wie die
Schlußbetrachtung es noch einmal zusammenfassend zum Ausdruck
bringt: „wie Herzeloyden kint den gral / erwarp, als im daz gordent
was,"[2] . . . „den ich hân brâht / dar sîn doch saelde het erdâht"[3]).
Sein Weg, der ihn durch alle Phasen menschlicher Entwicklung
hindurch führte, war kein Werdegang ins Ungewisse, es war die
Bahn, die ihn seiner Bestimmung entgegenreifte. Von Anfang
an war ihm das Ziel gesteckt; nun er den vollen Ausgleich mit der
Welt, mit den äußeren Formen des Daseins wie mit dem Schicksal,
gefunden hat, ist der Augenblick gekommen, da er es ergreifen
darf, da er durch das Tor von Munsalvaesche einzieht und die Grals-
krone empfängt.

Das Ziel.

Was bedeutet Wolfram diese Gralswürde? Welches ist das
Ziel, das er darin verkörpert und zu dem er seinen Helden hin-
führte?

---

[1]) 743, 16—23. Martin, in seiner Interpretation der Stelle, erklärt
es für unentschieden, ob Parz. hier schon von seiner Vaterschaft weiß.
Doch läßt die Art, wie Cundrie später P. davon erzählt (781, 20—21),
keinen Zweifel, daß sie ihm etwas Unbekanntes berichtet, daß es sich
also an der ersten Stelle nur um eine Erwähnung von seiten des Dichters
handelt.

[2]) 827, 6/7.   [3]) 827, 17/18.

Der Gralsdienst trägt deutlich religiöses Gepräge. Unmittelbare Gottesbotschaft bestimmt seinen Hütern ihr Handeln. Vom Himmel bringt eine Taube die Oblate, durch die der Gral seine Kraft empfängt. Göttlicher Ratschluß ernennt die zum Gralsdienst Erwählten. Strenges Gebot regelt das Leben der Gralsritter. Weil er solchem Gebot ungehorsam war, empfing Anfortas die nicht heilende Wunde[1]).

Aber diese religiöse Gemeinschaft steht nicht im Gegensatz zu dem weltlichen Dasein. Ritter sind es, die ihrer hüten. Kampfestaten werden von ihnen gerühmt, mit der Waffe halten sie Unberufene von Munsalvaesche fern. Als weltliche Herrscher werden manche von ihnen in fremdes Land ausgesandt. Wohl sind sie anderem Gesetz unterworfen, fechten unter anderem Zeichen als die Ritter, die dem Dienste der Welt angehören, wohl sind es nur die besten, die edelstgeborenen die zum Gral erkoren werden; der Frauendienst ist für sie verpönt, Ehe nur dem König und den in die Welt entsandten zugebilligt. Aber körperliche Kraft, Gewandtheit, Beherrschung aller ritterlichen Tüchtigkeit steht ihnen ebenso an wie den weltlichen Rittern. Schönheit des Leibes wird an allen Mitgliedern des Gralsgeschlechtes wie an allen, die dem Gral dienen, hervorgehoben. Und mit unvergleichlicher äußerer Pracht, mit überwältigender Herrlichkeit ist die Gralsburg geschmückt, geht die Gralszeremonie vor sich. Ja, der Gral selbst, das heilige Gefäß, das nur die edelste, untadeligste Frau zu tragen vermag, auf dem die Inschriften erscheinen, die das göttliche Geheiß verkünden, hat zugleich die sehr irdische Eigenschaft, der Gralsgemeinde die Sorge um die Nahrung zu ersparen, ihr die erlesenste Kost zu spenden.

Es ist in stärkstem Grade das Ideal einer Verschmelzung von Geistlichem und Weltlichem, was der Gralsorden verkörpert[2]).

---

[1]) Schon darum ist des Anfortas Leiden nicht einfach als menschliches Unglück anzusehen.

[2]) Einen ähnlichen Versuch der Verbindung von Geistlichem und Ritterlichem zeigt ja auch der 'Willehalm', der ebenfalls religiöses Rittertum, wenn auch in minder umfassendem Sinne, darstellt. Ist dies eine Synthese, die Wolfram im Kreuzfahrertum vorfand, so ist der Zusammenhang bemerkenswert, auf den schon Uhland hingewiesen hat, daß eben aus diesem Kreuzfahrertum die Ritterorden entstammen, an die sich Wolframs Schilderung der Gralgemeinde ja anlehnt (Uhland,

Nicht auf Kosten leiblicher, sinnlich wahrnehmbarer Vollkommenheit will sich hier die religiöse Hingabe vollenden, nur
gesteigerter wird bei Wolfram kraftvolles und schönes Menschentum
von denen gefordert, die zum höchsten göttlichen Dienst wert genug
sein sollen. Wie der Begriff der „kiusche", der sonst eine mehr oder
weniger mönchische Enthaltsamkeit bezeichnet, bei Wolfram eine
Haltung umgreift, die die ritterliche „mâze" mit reinstem Seelenadel
verschmilzt[1]), die Norm eines körperlich und seelisch zuchtvollen,
selbstbeherrschten Menschen, so ist diese Einheit von übergesellschaftlich gerichtetem, höheren Dingen zugewandtem Sinn und
restloser Beherrschung aller weltlichen Forderungen das Ziel,
das er überhaupt vor Augen hat, das sich in seiner Gestaltung der
Gralsidee spiegelt, dem sein Held zuwachsen soll.

Die beiden Grundkräfte, die, bald gegeneinander gewandt,
bald einander angenähert, das gesamte Mittelalter durchziehen
und bestimmen: heidnisches Heldentum, dessen Wille dem Irdisch-
Leiblichen gilt, und christliche Lebensentsagung zugunsten der
seelischen Dinge — deren Verflechtung auf dem Gipfel mittelalterlicher Kultur vorübergehend gelang, um sie nur bald um so
tiefer auseinanderklaffen zu lassen, über deren Zwiespalt in der
eigenen Brust wie in der umgebenden Welt uns Walthersche

Gesch. d. Dichtg. u. Sage, Schriften Bd. 2 1866, S. 155, 2. Hauptabschn. 8.: Der hl. Gral. Erklärg. d. Gralssage). Um wieviel umfassender
der 'Parzival' dies Ideal religiösen Rittertums verkörpert als der
'Willehalm', zeigt das Verhältnis zum Heidentum. Sind die Heiden
dort noch so milde beurteilt, so bleiben sie doch die Feinde. Im 'Parzival'
aber ist durch die Feirefiz-Handlung das Heidentum mit in den Umkreis
der Gralwirkung hereingezogen. Die Geschichte des Gahmuret rundet
diese Beziehungen ab. Es ist sehr denkbar, daß erst nach dem 'Willehalm' diese Partieen ausgebaut wurden, um den während der Arbeit
am 'Willehalm' in Wolfr. angeregten Gedankengängen vollen Ausdruck
zu geben (vgl. Schreiber, Neue Bausteine z. ein. Lebensgesch. W. v. E.s,
Dtsch. Forschgen. Heft 7, Frkft. a. M. 1922, besds. X, S. 161ff., 173ff.
Über die Zeitfolge der Entstehung des 'Parzival' vgl. neuerdings auch
Elisabeth Karg-Gasterstädt, Zur Entstehungsgesch. des Parzival.
Halle 1925. s. dazu Rosenhagen, Dtsch. Lit. Ztg. 1926, Heft 17, S. 804ff.).

[1]) Diese Grundbedeutung des Wortes bei Wolfram ist überall in
seiner Anwendung des Begriffs zu spüren, auch wo er, wie nicht selten,
ihm bereits zur Formel erstarrt ist. Vgl. Ehrismann, Wolframs Ethik
a. a. O. Bohner, Beiwort d. Menschen u. d. Individualismus in Wolfr.s
Parzival. Diss. Heidelberg 1909. Kinzel, Der Begriff der kiusche bei
Wolfram, Ztschr. f. d. Phil., 1886, S. 447.

Gedichte klagen, schließen sich in Wolframs Gralsideal zur Synthese zusammen. Es ist darum ein müßiger Streit, ob der 'Parzival' eine religiöse Dichtung ist, wie San Marte wollte, oder ob er mit Bötticher in erster Linie als Verherrlichung des Rittertums an-zusehen ist. Das Wolframsche Rittertum ist, wie der Charakter seines Gralsordens unmißverständlich zeigt, zutiefst religiös getränkt, und wiederum ist sein religiöses Fühlen und Kämpfen nicht das des Theologen oder des abseits Grübelnden und Ringenden, sondern ein Seelenvorgang auf dem Boden der ihm gültigen und selbstverständlichen Weltform: auf dem Boden ritterlicher, kraftvoller Lebensbetätigung.

Die Synthese, die sich uns so aus dem Wesen des Gralsordens ergab, spricht Wolfram noch einmal unmittelbar als geforderte Norm aus. Am Schluß seiner Dichtung faßt er rückblickend das Ziel, dem er seinen Helden entgegenreifen ließ, zusammen:

> „swes lebn sich sô verendet,
> daz got niht wirt gepfendet
> der sêle durch des lîbes schulde,
> und der doch der werlde hulde
> behalten kan mit werdekeit,
> daz ist ein nütziu arbeit"[1]).

Der Rahmen.

Die Linie von Parzivals Entwicklung, die sich uns als Gehalt des Wolframschen Epos ergab, tritt in der Dichtung nicht so nackt heraus, wie wir sie im Vorhergehenden nachzuzeichnen versuchten. In den reichen und farbigen Bericht einer Fülle von Abenteuern, Rittertaten, Liebeshändeln, die sich keineswegs alle unmittel-bar auf die Person des Helden beziehen, ist sie eingebettet. Die Geschichte von Parzivals Vater, das Schicksal des Feirefiz, die Abenteuer Gawans nehmen, wie man weiß, einen breiten Raum ein.

Wenn es sich hierbei gelegentlich um unbewältigten Rohstoff zu handeln scheint, wenn manche Partieen ohne rechte Beziehung

---

[1]) 827, 19—24.

zum Kern der Dichtung scheinen und die Vermutung naheliegt, hier sei Überliefertes von Wolfram einfach wiedergegeben, oder auch in freier Erfindung habe der Dichter der Lust am Erzählen mehr nachgegeben als die Ökonomie des dichterischen Gebildes gestattete, so dürfen wir doch nie vergessen, daß wir nur dann berechtigt sind, zu solcher Erklärung zu greifen, wenn offensichtlich ein künstlerisches Mißverhältnis vorliegt. Im ganzen deuten auch diese Teile des Werkes auf einen tieferen Ursprung, erweisen sich bei näherem Zusehen als überaus aufschlußreich für die Erkenntnis des Wolframschen Weltbildes.

Daß das Hereinspielen der Feirefiz-Handlung der Abrundung und Ausweitung der religiös-ritterlichen Norm dient, die im Gral zum Ausdruck kommt, zeigte sich uns schon. Dieses Motiv mag auch bei der Gahmuret-Erzählung mitgewirkt haben. Zugleich aber kommt in dieser wie in vielen der Nebenhandlungen und Episoden des Werkes etwas anderes zum Ausdruck: der Werdeprozeß seines Helden ist Wolfram von vornherein auf dem Untergrunde von dessen Umwelt, von seinem Geschlecht, seiner Stammes- und Standesart gegeben.

Zu jeder Darstellung des Werdegangs eines Menschen gehört mehr oder weniger die Schilderung der umgebenden Welt, der Kultur, in der er lebt, in der er sich entwickelt, mit der er sich auseinandersetzt. Ist das Hineinwachsen des Menschen in die Welt das Grundthema des Entwicklungsromans, so ist als ein Stück dieser Welt, als ihr jeweiliges Gesicht und Gefäß die in seiner Zeit gültige Gesellschaftsform ein notwendiger Bestandteil jedes Entwicklungsromans. Der Zeichnung dieser umgebenden Welt dient im 'Parzival' nicht nur die Schilderung all der gesellschaftlichen Erscheinungen und Vorgänge die Parzival selbst sieht und durchlebt, sondern auch die Darstellung der Erlebnisse des Gahmuret und der Gawanepisoden. Sie lassen das ritterliche Dasein, seine Bräuche und Anschauungen, seinen Verlauf mit allen Fährnissen und Siegen in voller Ausdehnung vor uns sichtbar werden[1]. Die Breite, mit der Wolfram im Vergleich zu späteren Entwicklungsromanen diese Seite seines Werkes behandelt, zeigt,

---

[1] S. auch Scherer, Dtsch. Lit. Gesch. „Nur durch Gawans Einführung und breite Behandlung wird der ‚Parzival' ein Totalgemälde des ritterlichen Lebens."

wie selbstverständlich, wie gegeben ihm trotz allem im Verhältnis
zu den Dichtern späterer Zeiten die Welt, in der er lebt, noch ist.
Wächst sein Held einsam, getrennt von ritterlicher Kultur auf,
reibt und stößt er sich an ihr, ehe er sie bewältigen lernt, und geht
dann über sie hinaus, so ist doch diese Kultur für Wolfram immer
da, immer selbständig gültig. Die mehr oder weniger von der Lebensbahn Parzivals unabhängige Gestaltung der Rittertaten Gahmurets
und Gawans verrät, wie wenig vom Ich aus, wie überwiegend von
der Welt aus Wolfram das Problem der Entwicklung des Einzelnen
gesehen hat. Nicht, wie sich seinem Helden die Umwelt zeigt,
sondern was dessen innere Entwicklung gemessen an seiner Umwelt
bedeutet, ist die Grundfrage, auch da noch, wo diese Umwelt
Parzival unzureichend wird und er vollerem Sein zureift. Daß er
der Sohn dieses Vaters, des weltgewandten, frauenkundigen Ritters
ist — den Wolfram ohne Zweifel mit Anerkennung und Sympathie
schildert —, gibt seinem seelischen Wachstum aus anfänglicher
„tumbheit" bis zum Königtum des Grals erst Gewicht und Wert.
Daß er von „ritters art" ist, gibt ihm gewissermaßen erst das Recht,
die Sonde an die höfische Sitte zu legen; daß es diese Welt des
glänzenden Artushofes ist, diese Welt, die durch die märchen-
haften Taten eines Gawan erfüllt und verherrlicht wird, macht die
Auseinandersetzung mit ihr erst der Betrachtung würdig, gibt
dem seelischen Prozeß erst die volle Schwere.

Die Bedeutung der Gawanepisoden im Organismus der Dichtung
ist damit nicht erschöpft. Schon oft ist darauf hingewiesen worden,
daß die zunächst scheinbar zu ausführliche Behandlung dieses
zweiten Helden eine Kontrastfigur zu Parzival geben wolle, daß
Gawan der rein weltliche Ritter sei im Gegensatz zu dem Haupt-
helden, der zum heiligen Dienste des Grals bestimmt ist[1]). Auch
hier haben wir es mit einer häufig wiederkehrenden Eigenheit des

---

[1]) Abweichend von Chrétien läßt ja Wolfram auch in den Gawan-
abenteuern Parzival immer im Hintergrund auftauchen; es ist im Grunde
Parzival, der im VII. wie im VIII. Buch mittelbar erst den Ausgang
herbeiführt. Man beachte auch den Unterschied der Bedingung, mit
der Gawan sich im VIII. Buch löst: bei Chr. soll G. die blutende Lanze,
bei Wolfr. den Gral suchen; bei beiden also wird ihm dieselbe Aufgabe
gestellt, die Parzival obliegt. Aber während es sich bei Chr. um ein
allgemein erreichbares Ziel handelt, das dem einen wie dem andern
gilt, ist ja bei Wolfr. der Gral nicht erstreitbar. Erst durch Parz., der

Entwicklungsromans zu tun. Das Bedürfnis, eine Kontrastfigur zu schaffen, hängt zusammen mit der besprochenen Rolle, die die Umwelt des Helden im Entwicklungsroman spielt. Denn die betreffende Parallelfigur ist eben Vertreter dieser Umwelt, verkörpert die Menschen, die sich ohne Anstoß, ohne Mühe dieser Umwelt einfügen, ihrem ganzen Wesen nach mit ihr gleichgerichtet sind, für die es keiner Auseinandersetzung mit der Welt bedarf, weil ihre Empfindungsweise völlig dem Lebensgefühl entspricht das in der jeweiligen Kultur und Gesellschaft seinen Ausdruck gefunden hat. Nichts verrät uns so deutlich die innere Stellung eines Dichters zu seiner Zeit wie die Art der Gestaltung solcher Kontrastfigur. Die Kontrastfigur wird in Niveau und Wertung um so tiefer stehen, je größer dem Dichter die Kluft zwischen seinem Helden und der geltenden Welt ist. Die glänzende Gestalt Gawans ist das stärkste Zeugnis dafür, wie hoch Wolfram bei aller Kritik doch das übliche Rittertum stellte. Mit höchster Anerkennung ist Gawans Persönlichkeit gezeichnet, nicht nur überragende Tapferkeit, sondern auch seelischer Adel, innere Würde ist ihm eigen. Wir bemerken hier wieder, was uns schon Wolframs Norm erkennen ließ, daß ihm die ritterliche Sitte zwar nicht ein Letztes, Vollkommenes ist, daß er ihr aber gleichwohl in all ihren Erscheinungsformen — auch den von ihm bekämpften wie dem Frauendienst — durchaus Achtung zollt.

Aber noch einem anderen Zweck dienen schließlich die Gawanepisoden im Gefüge der Dichtung. Die Gawanabenteuer spielen sich ja während der Zeit ab, da Parzival einsam umherirrt auf der vergeblichen Suche nach dem Gral. Und hier rühren wir an eine sehr bezeichnende Eigentümlichkeit der Wolframschen Dichtung. Nicht den einsamen Parzival selbst in seiner seelischen Not und Sehnsucht zeigt uns Wolfram; andere Ereignisse und Abenteuer treten an die Stelle seiner Erlebnisse, nur Parzivals Verschwinden vom Schauplatz verrät uns seine abseitige Verlassenheit, nur durch gelegentliche Andeutungen hören wir von seinem Verbleiben.

---

alle, die er besiegt, in den Dienst seiner Aufgabe stellt, gelangt die Gralssuche indirekt an Gawan. Auf Parz. als Mittelpunkt ist hier alles bezogen. So dienen auch die Gawankapitel im Grunde der Verherrlichung Parz.s (so auch, wenn P. die Frau verschmäht, um die Gawan ringt). Vgl. auch Singer, Wolfr.s Stil . . . . a. a. O.; Rührmond, Episode von Gawan in W.s P. (Germania 10, 1853, S. 17).

Die Bedeutung dieser eigentümlichen Darstellungsweise ist nicht zu erschließen, wenn wir die betreffenden Partien losgelöst nehmen. Ihre Betrachtung führt uns auf die umfassendere Frage nach den künstlerischen Ausdrucksmitteln des 'Parzival' überhaupt. Deren Ergründung wird erst das Bild vervollständigen, das wir vom Wesen der Dichtung, von der seelischen Lage, der sie ihre Entstehung und Gestalt verdankt, gewannen, wird den 'Parzival' als Glied der Geschichte des deutschen Entwicklungsromans erst ganz würdigen lassen.

II. DIE FORMUNG

Der 'Parzival' stellt die seelische Entwicklung eines Menschen dar. Nicht die Ereignisse und Zusammenstöße des äußeren Daseins machen den Gehalt der Dichtung aus, ihr Kern ist der innere Werdegang, dessen Aufbau und Veranschaulichung alles übrige dient.

Vergeblich aber würden wir in dem Werke, dessen Thema ein seelischer Prozeß ist, nach der unmittelbaren Schilderung solcher seelischen Vorgänge suchen. Wie Wolfram die Norm, deren Erreichung ihm als Ziel jenes inneren Werdegangs gilt, bis auf die wenigen Verse am Schlusse niemals in Worten ausspricht, sondern eine sichtbare Aufgabe vor seinem Helden steht, in einem körperlichen Gebilde von großartiger Wucht und lebendiger Wirkung auf die äußere Welt diese Norm greifbare Gestalt gewonnen hat, so tritt auch Parzivals Entwicklungsgang, treten die Wandlungen, die er durchlebt, nicht als Wiedergabe von Empfindungsreihen, nicht als gedankliche Erörterung zutage, sondern nur im Spiegel der Ereignisse, die diesen Werdeprozeß begleiten, ihn auslösen oder von ihm erzeugt werden.

Wie in der gesamten mittelalterlichen Epik, so finden wir auch im 'Parzival' fast nirgends in nennenswertem Grad direkte Charakteristik. Durch ihre Handlungen und durch ihre Äußerungen lernen wir die Personen kennen. Wo unmittelbar über ihr Wesen etwas ausgesagt wird, da sind es meist ganz kurze, allgemeine Kennzeichnungen. Solcher Charakteristik dienen etwa die Beiwörter; doch sind gerade diese mit Vorsicht zu prüfen, da sie allzuoft zur Formel erstarrt sind, gleichviel, ob es sich dabei um die durchgehends in der Zeit üblichen Benennungen handelt, oder um spezifisch Wolframsche Begriffe wie etwa seine Färbung des „kiusch", denn auch diese bleiben bei beibehaltener Grundbedeutung nicht auf die Charakteristik eines Einzelnen beschränkt.

Der Gesamtcharakter eines Menschen wird fast niemals anders als in einem derartigen Epitheton oder höchstens in einem kurzen Satz ausgesprochen. Wo wir gelegentlich etwas ausführlichere direkte Charakteristik treffen, da gilt sie der Wiedergabe eines Zustands. Solchen Bericht augenblicklicher Empfindungen und Gedanken haben wir etwa bei dem Eindruck, den Parzival von Liaze empfängt. „bî sîme herzen kumber lac / anders niht wan umbe daz: / er wolt ê gestrîten baz, / ê daz er dar an wurde warm, / daz man dâ heizet frouwen arm. / in dûhte, wert gedinge / daz waere ein hôhiu linge / ze disem lîbe hie und dort".[1]) Wie knapp auch diese Gefühlsschilderungen im ganzen gehalten sind, selbst bei besonderen Ereignissen, das zeigt die Stelle, da Parzival von Trevrizent den Tod seiner Mutter erfährt. Parzival spricht das Stärkste aus, was es für ihn gibt: „Waer ich dan hêrre übern grâl, / der möhte mich ergetzen niht / des maers mir iwer munt vergiht"[2]), sodaß wir nicht im Zweifel darüber sein können, was ihm diese Nachricht bedeutet, und doch sagt der Dichter unmittelbar über seine Empfindungen kein Wort. Am liebsten wird auch die Darstellung eines derartigen momentanen Seelenzustandes in Äußerungen umgesetzt, wenn nicht, wie hier, als Rede gegenüber anderen, so als stummes Selbstgespräch gegeben. So Parzivals Gefühle gegenüber Condwiramurs: „der gast gedâht, ich sage iu wie. / Lîâze ist dort, Lîâze ist hie. / mir wil got sorge mâzen: / nu sihe ich Lîâzen, / des werden Gurnemanzes kint"[3]), oder seine Fragescheu beim Gral[4]).

Es ist ersichtlich, daß bei dieser Gestaltungsweise von einer unmittelbaren Schilderung seelischer Entwicklung, einer Betrachtung der inneren Wandlungen die in dem Helden vorgehen, der Folgen, die wichtige Ereignisse auf die Bildung seines Charakters ausüben, von jeder Reflexion über den Prozeß seines allmählichen Reifens nicht die Rede sein kann.

Anschließend an die knappen Zustandsschilderungen findet sich hie und da einmal eine Hindeutung auf Vorgänge innerer Umwandlung. Als bei Parzivals Abschied von Gurnemanz seine Trauer und Sehnsucht beschrieben wird, da fügt der Dichter

---

[1]) 176, 30—177, 7.
[2]) 476, 16—18.
[3]) 188, 1—5.
[4]) 239, 11—17.

hinzu: „sît er tumpheit âne wart, / done wolt in Gahmuretes art / denkens niht erlâzen / nâch der schoenen Lîâzen . . ."[1].

Im ganzen aber wird die Entwicklung des Helden nicht aufgezeigt, sie ist nur zu erschließen. Zu erschließen aus seinen eigenen momentanen Gefühlsäußerungen und aus seiner Handlungsweise.

Daß der Knabe, der durch seine kindlichen Fragen die Ritter zum Lachen bringt, dessen Benehmen gegenüber Frau Jeschute Unheil anrichtet, der am Artushof wegen seiner Unerfahrenheit in ritterlichen Formen verspottet wird, ein anderer ist als der junge Ehemann, der die Sühne für die seinetwegen zu unrecht geschmähten Frauen erzwingt, der am Hofe als ebenbürtiger Genosse empfangen wird, ist kaum gesagt, aber eben der Wandel seines Verhaltens sowie des der übrigen verrät es. Seine Äußerungsformen werden andere, in der Rede wie in Gebärden und Handlungen, und die veränderten Auswirkungen künden einen veränderten Seelenzustand. Der Widerschein bei den Menschen ist ein anderer geworden und läßt uns fühlen, daß der, der diesen Widerschein hervorruft, sich in seinem Wesen gewandelt hat.

Überall setzt sich der innere Vorgang um in Tat oder Geste oder Wort, nirgends gibt es losgelöste Seelenbetrachtung. Der Handelnde wird dargestellt, nicht der Grübelnde. Der Dichter sieht seinen Helden wirken, sieht ihn im Zusammentreffen mit Menschen, mit Ereignissen, in Stoß und Gegenstoß, sieht sein Verhalten in den entscheidenden Momenten seines Lebens: gegenüber dem höfischen Treiben, in der Liebe, vor dem Gral, im Augenblick der Verfluchung; aber er nimmt nicht seine Seele unter das Seziermesser, sucht nicht ihre verborgenen Fasern und Stränge zu entwirren und bloßzulegen.

Und diese Darstellungsweise, die Gestaltung, nicht Analyse ist, wird auch da beibehalten, wo von sichtbaren Ereignissen kaum mehr die Rede sein kann, wo es sich um einen ganz innerlichen Prozeß handelt: bei der Erschütterung von Parzivals gesamter Lebensanschauung, seinem religiösen Seelenkampf.

Wir erfahren einiges von dem, was in Parzival vorgeht, aus seinen Worten nach der Verfluchung, seinen Klagen gegenüber Sigune und den Pilgern, seinem Selbstgespräch, als er die Pilger

---

[1] 179, 23—26.

verlassen hat, seinen Bekenntnissen vor Trevrizent. Wir fühlen den Wandlungsprozeß, der sich in ihm vollzieht, wenn wir mit ihm den Belehrungen Trevrizents lauschen. Aber das ist auch fast alles. Das übrige müssen uns die Tatsachen sagen.

Parzival sucht fünf Jahre lang nach dem Gral. Wir hatten erkannt, daß Parzivals Wille, Gott die Gewährung abzutrotzen, und sein Bemühen, die Gralsburg aus eigner Anstrengung wiederzufinden, nur zwei Formen desselben Prozesses sind. Jetzt begreifen wir den tieferen Grund dieses Zusammenhangs. Das Ringen um Gott, den Versuch, die Weihe zu erzwingen, konnte Wolfram nicht sichtbar darstellen. Das Umherirren aber nach dem Weg zur Gralsburg war ein tatsächlicher Vorgang, der sich in der äußeren Welt abspielte. In Parzivals einsamem Umherstreichen, ohne daß es ihm gelingt, das Ziel zu erspähen, spiegelt sich zugleich das seelische Erlebnis, seine Sehnsucht nach dem Ausweg aus innerer Wirrnis.

Aber Wolfram konnte nicht durch fünf Jahre Parzivals Irrfahrten nach dem Gral verfolgen. Nicht nur, daß diese Schilderung leicht eintönig geworden wäre, sie hätte auch gerade das nicht zum Ausdruck gebracht, worauf es ankam, denn nicht die bunten Abenteuer, die Parzival auf diesen Wegen besteht, sind ja das Wichtige, sondern gerade, daß all dieses ihn nicht berührt, daß es ihm nur um das eine Ziel zu tun ist. Darum verschwindet Parzival in dieser Zeit vom Schauplatz. Daß ihm ritterliche Taten gleichgültig geworden sind, soviel er auch ihrer besteht, das konnte Wolfram nicht eindringlicher zeigen als dadurch, daß in der Welt des Rittertums sein Held jetzt zurücktritt, ein anderer das Interesse in Anspruch nimmt. Daß er dennoch noch der alte Sieger ist, das zu künden, genügt sein flüchtiges Auftauchen im Umkreis von Gawans Kämpfen, genügt seine schließliche Bezwingung Gawans. Daß er noch immer dasselbe Ziel verfolgt, erfahren wir, wenn wir hören, daß er auf der Suche nach dem Gral vorübergekommen sei, daß er alle Besiegten in den Dienst der Aufgabe stellt, den Gral zu finden. Wir wissen, daß er seinem Weibe treu geblieben ist, aus Orgeluses kurzer Erwähnung, wie er ihr Werben abgelehnt habe.

Und schließlich vollendet sich das Bild dessen, was sich in dieser Zeit in Parzival vollzogen hat, durch sein Verhalten, da er wieder in unsern Gesichtskreis tritt. Seine Scheu, sich dem

Kreis der Tafelrunde zuzugesellen, die Frauen wiederzusehen, die einst seine Verfluchung mitangehört -- an der doch niemand von ihnen Anstoß genommen hatte —, die zögernde, fast demütige Art, mit der er sein Lob aus Artus' Mund vernimmt, verrät, was er in den dazwischenliegenden Jahren seelisch durchlitten hat, wie fern er innerlich den andern ist. Am meisten aber verrät sein einsamer Aufbruch in der allgemeinen Freude. Nicht nur die Worte, in denen er seinem Schmerz und seiner Sehnsucht Ausdruck gibt, auch die Tatsache selbst, daß er der frohen Tafelrunde heimlich entweicht, sagt uns genug, sowie die knappe tatsächliche Erwähnung, als er sich wappnet, die sein Leben in den vergangenen Jahren vor uns auftauchen läßt: „er greif dâ sîn harnasch lac, / des er dicke al eine pflac, / daz er sich palde wâpnde drîn"[1]). Einsam ist Parzival in all der Zeit gewesen, einsam ist er noch jetzt, mitten im Kreis seiner Freunde.

Es ist schließlich nur die selbstverständliche Folge der ganzen Anlage des Werkes, daß auch die erlangte Reife, die volle seelische Klarheit und Ruhe nicht als Erkenntnisvorgang, nicht als Betrachtung der inneren Verfassung des Helden zum Ausdruck kommt, sondern wieder als sichtbares Ereignis: in der Verkündung Parzivals zum Herrn des Grals. Nur ganz kurz klingt darüber hinaus in Cundries Worten auch der seelische Zustand an: „du hâst der sêle ruowe erstriten"[2]).

Der 'Parzival', dessen Thema das innere Werden eines Menschen ist, ist doch seiner künstlerischen Form nach durchaus Darstellung von Ereignissen, nicht psychologische Zergliederung. Das kann man nicht scharf genug im Auge behalten. Wie das Weltgefühl, das ihn schuf, sich darin ausspricht, daß hier zum erstenmal in deutscher Dichtung das Problem der Entwicklung des Einzelnen dichterischen Ausdruck fand, so ebenso darin, daß diese Entwicklung nicht unmittelbar, sondern in ihrer Auswirkung in Leben und Handeln, im Geschehnis geschaut und gestaltet ist.

---

[1]) 733, 21—23.
[2]) 782, 29.

III. AUSBLICK

Nicht aus der monumentaleren Heldendichtung mit ihren einfacheren, ungebrocheneren und blutnäheren Grundlagen menschlichen Zusammenlebens, sondern aus der mittelhochdeutschen Zeitdichtung, die bereits ein komplizierteres gesellschaftliches Gefüge voraussetzt, ist der erste Entwicklungsroman hervorgegangen. Aber auch in ihrem Rahmen steht er seinem Grundgehalt nach einsam da. Zum erstenmal taucht hier die Frage auf nach der Berechtigung der Formen ritterlicher Kultur, zum erstenmal ist das Hineinwachsen in diese Formen als ein Prozeß mit Hemmungen, Widerständen, ja mit Gefahren gesehen.

Aber hat Wolfram sich mit seiner Umwelt auseinandergesetzt, sie nicht einfach als selbstverständlich hingenommen, so sahen wir doch, wie sie ihm trotzdem volle Geltung behält, ein Unumstößliches bleibt. Das gilt von seiner Stellung zu dem gesellschaftlichen Gefüge seiner Zeit, zum höfischen Rittertum, wie zu ihrer religiösen Kultur, zu der Glaubenswelt, in der er lebt. Wie man darüber gestritten hat, ob Wolfram das Rittertum angegriffen oder verherrlicht hat, so auch darüber, ob er insgeheim ein Ketzer oder ein treuer Anhänger der Kirche war. Daß er auch den religiösen Boden seiner Zeit so wenig problemlos gesehen hat wie ihren gesellschaftlichen, das bezeugen die entscheidendsten Partien seiner Dichtung, die ja der vollen religiösen Reife ein schweres seelisches Ringen, einen langen, an Umwegen reichen Werdeprozeß vorausgehen lassen. Aber wir erkannten auch, daß dieser Kampf das religiöse Weltbild selbst nirgends in Frage stellt.

Die beiden Mächte, die das Zeitalter gemeinsam beherrschen, waren auch für Wolfram unantastbare Norm. Nicht die Frage, welches das Ziel sei, wohin der Weg des Einzelnen führe, beschäftigt ihn, reizt ihn zur Gestaltung. Das Ziel ist da, steht leuchtend über allen Kurven und Abweichungen des Pfades; wie der Weg zu ihm zu finden ist, durch welche Klüfte und Abgründe er führt, ist das Problem, das seine Dichtung verkörpert. Wohl ist hier Werden, mühevolles Reifen, aber kein Suchen im Ungewissen, sondern ein Emporsteigen durch dunkles Gestrüpp auf Umwegen und Klippen zu dem von dem Suchenden nicht jederzeit geschauten, aber immer unverrückten Gipfel.

So ist der 'Parzival' der erste deutsche Entwicklungsroman, aber er ist der Entwicklungsroman einer Zeit, deren Weltbild noch gemeinsame Richte war, für die selbst Entwicklung nur Entwicklung zur gebotenen Norm sein konnte.

Und noch in anderer Hinsicht ist der 'Parzival' bei aller Einzigkeit seines Grundmotivs eingebettet in den Schoß des damaligen allgemeinen Lebensgefühls. Wohl tritt hier zum erstenmal im deutschen Epos das Wissen um den individuellen Werdeprozeß, um seelisches Wachstum, seelische Entfaltung und Formung in den Kreis künstlerischer Darstellung; aber nicht mit den Mitteln der Selbstbeobachtung zeichnet der Dichter, wie wir sahen, diesen Werdeprozeß. Nicht die Vorgänge in den Kammern des Innern werden belauscht, nicht die entkleidete Seele wird sichtbar, nur in ihrem natürlichen Gefäße, in den Formen menschlicher Leiblichkeit, werden ihre Regungen aufgefangen, der Mensch unter Menschen wird geschaut wie überall in der epischen Dichtung dieser Zeit, so wie er sich in der äußeren Welt gibt und auswirkt. Auch die entscheidenden Wandlungen, die sich in der geheimsten Tiefe seines Innenlebens vollziehen, werden erst sichtbar, wo sie ihn als einen äußerlich Gewandelten zeigen[1]).

Hebt sich also der 'Parzival' aus der Dichtung seiner Zeit heraus, weil das ganz neue Motiv des individuellen Werdens, der Auseinandersetzung des Einzelnen mit der Welt hier durchbricht, so ist er doch seiner künstlerischen Gestalt nach ein Bild ritterlichen Lebens wie die übrigen Epen, deren Kreis er entstammt, geboren aus einem Lebensgefühl, dessen Heimat nicht im eigenen

---

[1]) Vgl. auch Bohner a. a. O., über die Frage des Individualismus bei Wolfram.

Ich, sondern in einem religiös wie weltlich in starke, feste und machtvolle Formen gebundenen Gemeinschaftsleben liegt, für das das Geschehen, die Dinge des äußeren Daseins an erster Stelle stehen und den Maßstab auch für die Bewegungen der individuellen Seele geben.

Wolframs 'Parzival' ist Entwicklungsroman im Sinne des Erlösungsromans, d. h. Darstellung einer Entwicklung zur bestimmten Norm hin, er ist Entwicklungsroman in der Form der Geschehnis-Dichtung, seelisches Werden gesehen in Gestalt und Ereignis.

3. KAPITEL
AUSKLÄNGE MITTELALTERLICHER WELT

Wie der 'Parzival' seinem Thema nach unter den gleichzeitigen Werken allein steht, wie er als Entwicklungsroman
ohne Vorgänger in der Epik des Mittelalters ist, so hat dieser Kern
und Sinn seines Werkes auch keinerlei Nachwirkung im Bereich
der epischen Literatur des Spätmittelalters gehabt. Die seelische
Entfaltung des Einzelnen zum Glied menschlicher Gemeinschaft
in Kampf, Reibung und Ausgleich mit ihr ist auf dem Boden
ritterlicher Kultur nicht wieder Gegenstand dichterischer Gestaltung geworden. Wohl finden wir etwa in den Bearbeitungen
der alten Legende von Barlaam und Josaphat das Motiv der
Erziehung und Lenkung des jungen Menschen, aber es handelt
sich hier um Ausbildung und Belehrung unter bewußter Führung
zu einem von dem Erzieher gesteckten Ziel hin, nicht um Formung
und Schulung durch das Leben selbst, nicht um Selbstentfaltung
des Menschen unter der Berührung mit der Welt.

Auch begegnen wir bei Wolframs Zeitgenossen und Nachfolgern dem biographischen Roman, der — wie der 'Wigalois',
der 'Wigamur' — das Leben des Helden von der Geburt an
aufrollt; aber es bleibt bei dem Bericht der äußeren Vorgänge,
seelische Entwicklung ist in diesen Lebensläufen nirgends zu
spüren. Wohl sind in den unter Wolframs Einfluß stehenden
Werken einzelne Züge aus dem 'Parzival' übernommen, doch
ohne den inneren Gehalt, der ihnen dort ihre Bedeutung verlieh.
Die Unerfahrenheit des törichten Knaben, der zum erstenmal
sich in ritterlicher Welt bewegen soll, ohne noch ihre Formen zu
kennen, findet sich etwa im 'Wigamur'[1]), aber es ist — dem

---

[1]) Vgl. besds. Vers 492ff. (Dtsch. Ged. d. Mittelalters, hsg. v.
v. d. Hagen u. Büsching).

Stand des Stoffes vor Wolfram näher als dessen Werk — Schilderung des lächerlichen Gegensatzes um seiner selbst willen oder im besten Fall Kennzeichnung einer bestimmten Stufe äußerer Ausbildung, nicht ein Moment innerer Entwicklung[1]).

Es macht ja das Wesen jedes Epigonentums aus, daß es nur die erstarrte Hülle, die greifbaren Züge, in denen sich der seelische Vorgang im Werk niedergeschlagen hat, übernimmt und nachgestaltet, nicht aber diesen seelischen Kern selbst aufnimmt, von ihm befruchtet wird und aus verwandtem Empfinden schafft. Nun ist der Entwicklungsroman im Mittelalter, wie noch auf fast ein halbes Jahrtausend hinaus, keine Gattung innerhalb der erzählenden Dichtung, wie er es im letzten Jahrhundert geworden ist. Vielmehr ist es ein noch vereinzeltes Erleben, das zu solcher Gestaltung drängt, und der Dichter bedient sich überlieferter Form, um dieses andersartige und neue Erlebnis zum Ausdruck zu bringen. So ist der 'Parzival' in das vorgefundene Gefäß des Ritterepos gegossen, wie später der 'Simplicissimus' in das des Schelmenromans. Dieses Gefäß nur behalten die Nachahmer in der Hand, mit den einzelnen Umbiegungen, Erweiterungen, Veränderungen, die es unter dem Druck jenes Erlebnisses erfahren hat. Und so wird das unter Wolframs Einfluß stehende Epos trotz einiger neuer Motive, die es ihm entlehnt, im Grunde wieder das, was die von ihm benutzte Gattung vorher gewesen war: Schilderung eines Ritterlebens voll Abenteuer, Kämpfe, wunderbarer Begegnungen.

Zwar zeigt sich im ausgehenden Mittelalter in anderem Bereiche zunehmend ein Erwachen des Gefühls für seelische Zustände, innere Entwicklungsprozesse. Beginnt doch mit dem Ende des 13. Jahrhunderts auf religiösem Gebiet die Bewegung der deutschen Mystik mit ihren ersten Vertretern seelischer Selbstdarstellung. Wenn wir bei Wolfram als charakteristisch beobachteten, wie die Schilderung seelischen Wachstums noch ganz eingebettet in Handlung und Geschehnis blieb, so ist es bemerkenswert, daß nur wenige Menschenalter später Seuses Autobiographie

---

[1]) Die Frage, wieweit Ulrich von Lichtensteins 'Frauendienst' über das äußerlich Biographische hinaus seelische Entwicklung enthält, berührt unseren Zusammenhang nicht, da sich Ulrichs Werk ganz um das Liebesmotiv gruppiert und nur die Stadien eines Liebesweges, nicht menschliche Entwicklung als solche, schildert.

geschrieben wurde, in der bis ins Feinste die Regungen des eigenen Innenlebens nicht nur beobachtet, sondern beschrieben und analysiert werden. Mit den Bekenntnisschriften Seuses und der mystischen Frauen setzt ja die Reihe jener religiösen Selbstbiographien ein, die im Pietismus in mannigfacher Wandlung und Umgestaltung ihre Fortsetzung gefunden und zu einer reichen Literatur geführt hat, welche auch auf das weltliche Schrifttum nicht ohne Einfluß geblieben ist[1]). Für die Geschichte des Entwicklungsromans selbst aber sind die Autobiographien der Mystik, zumal in diesen Zeiten, ohne Bedeutung. Die Welt in ihrer Gesamtheit, mit ihren Forderungen an den Einzelnen, ihren Konflikten und Bindungen ruft in den inneren Lebensgang des Mystikers höchstens von fern hinein, ist nicht im Zentrum seines Weges, die seelische Entwicklung steht nicht in Wechselwirkung mit der Umwelt. Zum Wesen des Entwicklungsromans aber gehört die Auseinandersetzung mit dem Dasein in all seinen Formen, das Eintreten in die Gesellschaft, und sei es auch nur als Durchgang, als Vorstufe des Hinauswachsens und der Abkehr.

Immerhin erscheint, wenn wir solche Strömungen des ausgehenden 13. und der folgenden Jahrhunderte betrachten, Wolframs Leistung nicht mehr so isoliert wie in dem engeren Rahmen des dichterischen Bezirks, dem er angehört. Aber solche verwandten Züge im Geistesleben der Zeit dürfen uns die Tatsache nicht verschleiern, daß innerhalb der damaligen epischen Kunst seine Schöpfung eine einzelne ist. Wir sahen ja auch, daß Wolfram nicht nur äußerlich, sondern seinem tiefsten Wesen nach durchaus dieser Kunst verwachsen ist — in seinen dichterischen Ausdrucksformen ein Vertreter epischer Dichtung wie in seinem Weltgefühl ein Kind ritterlicher Kultur. So muß er in dieser Reihe gesehen und gewertet werden. Daß die dichterische Gestaltung des Ent-

---

[1]) Ich verweise für diese Zusammenhänge auf den demnächst erscheinenden 2. und 3. Bd. von Georg Misch, Geschichte der Autobiographie, die ich durch die Güte des Verfassers im Manuskript einsehen durfte. Abschnitte daraus sind in der Dtsch. Vierteljahrsschr. f. Literaturwiss. u. Geistesgesch., Bd. I, Heft 2 und Bd. III, Heft 4 veröffentlicht. — Für die pietistische Autobiographie vgl. auch Werner Mahrholz, Deutsche Selbstbekenntnisse. Ein Beitrag zur Geschichte der Selbstbiographie von der Mystik bis zum Pietismus., Berlin 1919.

wicklungsproblems in dem damaligen historischen Augenblick noch gleichsam ohne Ahnen und Erben auftritt, gehört zum Bilde der Geschichte des Entwicklungsromans. Erst wenn dies ganz vor uns aufgerollt sein wird, wird sich uns die Bedeutung dieser Erscheinung entschleiern. Begnügen wir uns an diesem Ort mit der Feststellung, daß Wolfram — wie sehr immer in seinem Allgemeinempfinden und seiner Darstellungsweise Kind seiner Zeit — in dem Erlebnis, das seine Dichtung bedingte, noch auf Jahrhunderte hinaus einsam blieb.

II. TEIL

DER ENTWICKLUNGSROMAN ALS ABENTEUERERZÄHLUNG

1. KAPITEL
ANFÄNGE NEUER KULTUR

Das mittelalterliche Versepos hat in seiner Spätzeit die mannigfachsten Gegenstände geistlicher und weltlicher Art in den Bereich seiner Darstellung gezogen. Beschränkte sich die erzählende Dichtung der Blütezeit auf wenige große Lebensgebiete, so tritt an Stelle dessen jetzt ein beliebiges Sammeln und Auswählen aus allem nur erreichbaren Material. In diesen Werken herrscht im allgemeinen in zunehmendem Maße das rein stoffliche Interesse vor, der Erzählung fehlt meist die zusammenhaltende künstlerische Idee, die im 12. Jahrhundert aus dem bloß abenteuerlichen und spannenden Bericht das Kunstwerk schuf. Die Lockerung und Lösung der inneren Bindung, die schon innerhalb des Versepos bis ins Formale hinein mehr und mehr spürbar wird, kommt dann bei dem Übergang zur Prosa zu vollem Ausdruck[1]).

Gleichwohl behauptet auch in diesen Zeiten der Auflösung unter all den verschiedenen Stoffen das Rittertum noch seinen bevorzugten Platz in der epischen Dichtung, ja nach dem Aufkommen des Prosaromans ist den Rittermären bekanntlich noch einmal ein neues Aufleben beschieden gewesen. Wenn der Amadisroman auf der spanischen Halbinsel, wo der ritterliche Stand sich länger als anderswo erhalten hatte, entstanden ist und dann zunächst bei den romanischen Völkern, deren Wesen die Formen ritterlicher Sitte gemäßer und ursprünglicher eigen als dem des

---

[1]) Auf die verschiedenen Auffassungen über die Entstehung des Prosaromans näher einzugehen, ist hier nicht der Ort. Man vgl. bsds.: Scherer, Die Anfänge d. dtsch. Prosaromans, Straßbg. 1877; Benz, D. dtsch. Volksbücher, Jena 1913; Liepe, Elisabeth v. Nassau-Saarbrücken. Entstehg. u. Anfänge d. Prosaromans in Deutschland, Halle 1920.

Deutschen waren, Boden und Nachahmung gefunden hat, so ist er doch sehr schnell auch in Deutschland eingedrungen und hat hier wie überall bis weit in Zeiten hinein geherrscht, da von der ritterlichen Kultur längst auch die letzten Reste erloschen waren.

Aber die Ritterwelt bedeutet in diesen Werken nicht mehr, was sie im Epos des 12. Jahrhunderts bedeutet hat. Ritterliche Kultur war damals eine tatsächlich bestehende und innerlichst erlebte, für die Dichter wie für ihre Helden gültige und bestimmende Daseinsform gewesen. Dem Rittertum des Amadis-Romans entspricht nicht nur keine äußere Realität mehr — nicht das ist das Entscheidende, denn es könnte gleichwohl, wie etwa das Griechentum von Goethes 'Iphigenie', bildliches Symbol für eine reale seelische Haltung sein — sondern es ist vor allem auch nicht mehr innerlich verpflichtend, seine Gebräuche sprechen kein tieferes Leben mehr aus, es ist bloßer Schatten eines Gewesenen, starr gewordene Form, im besten Fall Ausdruck eines sentimentalen oder dekorativen Vergangenheitskultes. Darum ist dieses ganze Gebiet von vornherein totes Erdreich für die Bedingungen des Entwicklungsromans. Dem Ritterroman wie seinen unmittelbaren Nachkommen, den galanten Romanen, und vielfach auch noch dem historischen Roman des 17. Jahrhunderts, fehlt die innerlich erlebte Welt, diese erste Voraussetzung des Entwicklungsromans.

Zwar ist keineswegs zu verkennen, daß in diesen späten Ritterroman Elemente eingedrungen sind, die dem alten Ritterepos fehlen und ihm gegenüber historisch neue Werte bedeuten: der Amadis-Roman und seine Folger zeigen eine Stärke und Feinheit der — freilich durchaus sentimentalen — Gefühlsschilderung, die dem mittelalterlichen Epos von Grund aus fremd ist, und die' unstreitig der weiteren Entwicklung vordeutet. Auf dem Boden des Amadis-Romans aber sind all diese Neuerungen künstlerisch notwendig zur Unfruchtbarkeit verdammt, weil diesen Werken die Grundlage des Erlebten fehlt, auf der allein Dichtung erwachsen kann. Sie sind die überbliebenen Hülsen einer nicht mehr geltenden Zeit und darum unfähig, ein Leben zu fassen, das sich längst andere Formen geschaffen hatte, unter anderen Bindungen stand.

Das ist die entscheidende Bedeutung des Cervantes, daß, im Gewande des literarischen Kampfes gegen eine Romangattung, er zum erstenmal die tiefe Kluft aufdeckt zwischen der erlebten Welt seiner Gegenwart und der im Schrifttum künstlich fest-gehaltenen vergangenen, zum erstenmal den Wandel der Lebens-gesetze und -formen bloßlegt und — wenn auch, wie wir ahnen mögen, nicht ohne geheime Trauer um solchen Wandel — das wahrhafte Bekenntnis zur eigenen Welt fordert. In solchem Sinn ist er Begründer und Beginner neuer Kunst, nicht so sehr um des äußeren Realismus willen als infolge dieser Wiederbesinnung auf innere Echtheit, die, wie jederzeit so auch in jenem Augen-blick, die erste Voraussetzung zu künstlerischer Erneuerung bedeutet. —

Die Versuche, den Bedingungen der eigenen, andersartigen Zeit künstlerisch Rechnung zu tragen, gehen in Deutschland schon früh neben der literarischen Bewahrung des ritterlichen Lebensgebäudes einher. Man könnte schon den 'Meier Helm-brecht' als ein erstes Anzeichen solcher Tendenzen im Bereich der Epik betrachten, wenngleich es sich darin doch mehr um Spott und Anklage über den Verfall ehrwürdiger Sitte als um den Aus-druck neuen Lebensgefühls handelt[1]). Erst auf dem Gebiet der Prosaerzählung, deren Form mit ihrer größeren Freiheit und Ungebundenheit dem Weltgefühl jener Zeiten der Lockerung und Auflösung und der noch unfertigen Ansätze gemäßer sein mußte als der Zwang des Verses, finden diese Versuche einen geeigneteren Boden. Aus dem Leben des Tages erwachsen, Bild und Ausdruck der beruflichen und gesellschaftlichen Verhältnisse ist der 'Till Eulenspiegel' und seine Nachfolger. Freilich haben wir es hier kaum mit einer einheitlichen epischen Darstellung zu tun; ist es doch im Grunde nur eine Sammlung einzelner Schwänke, die lediglich durch die Person ihres Trägers zusammengehalten werden, ohne daß es sich dabei im tieferen Sinn um die Erzählung eines Menschenschicksals handelt. Der Schwank, die losgelöste Bur-leske ist überhaupt die beliebteste Ausdrucksform der beginnenden Bürgerzeit, Komik um ihrer selbst willen oder zum Zweck der Satire und Polemik, und tritt in den ersten Jahrhunderten der entwickelteren Prosaliteratur meist an die Stelle der geschlossenen größeren Darstellung. Noch Fischarts weiträumig angelegte und

---

[1]) Vgl. darüber Panzer in der Einl. zu seiner Ausg. des 'Meier Helmbrecht', Halle, Altdtsch. Textbibliothek Nr. 11 S. XV, 1.

üppig ausgestaltete Werke sind im Grunde aus solchen Tendenzen erwachsen.

Den Willen zum zusammenhängenden Bericht, zur Wiedergabe von Lebensläufen oder besonderen Schicksalen auf bürgerlichem Boden in voller Entsprechung der auch von ihm selbst noch gepflegten Rittererzählung finden wir zum erstenmal bei Wickram — Werke, die gegenüber dem Landfahrertum des 'Eulenspiegel' und seiner Gattung Ausdruck eines gefestigteren Bürgerdaseins sind, in der Art, wie es das Drama bei Hans Sachs geworden ist. Über Versuch und Absicht ist Wickram freilich künstlerisch nicht hinausgekommen. Auch wird der reine Darstellungswille bei ihm wie bei der gesamten Literatur seiner Zeit vielfach gekreuzt von pädagogisch-moralischen Zielen. Sein 'Knabenspiegel' etwa, der die Entwicklung zweier Jünglinge schildert, ist bewußte Zweckdichtung, pädagogischer Roman im engeren Sinn, wie er uns vom Altertum an bis zu den Zeiten Rousseaus und Pestalozzis entgegentritt, der sich des romanhaften Gewandes zur Verkündung einer Lehre, eines Erziehungsplanes bedient.

Das Vorherrschen des moralisch-didaktischen Moments ist ja ein Kennzeichen der Literatur dieser ganzen Epoche. Daß alle lebendigen Impulse in Deutschland damals von den religiösen und moralischen Fragen ausgingen und diese die Bedeutung der gesellschaftlichen und künstlerischen Kultur zurücktreten ließen, mußte ein reiches Aufblühen sowohl der Dichtung überhaupt wie insbesondere der epischen Gattung, zu deren Wesen die Vergegenwärtigung äußerer Welt, sichtbaren Daseins durchaus gehört, erschweren, wenn nicht unmöglich machen.

Eine eigentümliche Verschmelzung des rein stofflichen Interesses am einzelnen abenteuerlichen und zauberhaften Ereignis mit diesen religiösen Stimmungen der Epoche stellt das Faustbuch dar. Das Suchen nach dem Sinn des Lebens, für das später der Fauststoff zum Symbol wurde, spricht zwar aus den alten Chroniken nicht[1]), aber die Häufung von Beschwörungs- und Wundergeschichten wird hier doch nicht wie beim 'Eulenspiegel'

---

[1]) Viel mehr zeigt sich dies „Faustische" Suchen — worauf schon E. Schmidt hingewiesen hat (Goethe-Jahrb. IV S. 127) — in einem Drama des 17. Jhdts.: Valentin Andreä's 'Turbo'.

nur durch die Person des Helden, sondern zugleich durch eine einheitliche Idee von religiöser Verschuldung und Strafe zusammengehalten. Zu einer seelischen Entwicklung im Sinne unserer Untersuchung liegen freilich in dem Lebenslauf Fausts keinerlei Ansätze vor.

Wenn in den Romanen Wickrams zum erstenmal seßhaftes Bürgertum die Grundlage epischer Darstellung bildete, so ist seiner Leistung in dieser Hinsicht doch keine Nachwirkung beschieden gewesen. Nicht nur das künstlerische Unzureichen Wickrams mag die Ursache dieser Erscheinung sein, vielmehr begann jenes gefestigte Bürgerdasein unter den Erschütterungen der religiösen Unruhen und des großen Krieges sehr bald einem Zustand allgemeiner Unsicherheit und Wirrnis zu weichen. In Landfahrertum und soldatischem Umherschweifen fanden in der ersten Hälfte des 17. Jahrhunderts die allgemeinen Zustände ihren gemäßesten Ausdruck. So mußte der spanische Schelmenroman, dem ohnedies in der Eulenspiegelliteratur eine verwandte Gattung in Deutschland vorangegangen war, auf breiten Boden treffen. Wohl tritt die stärker moralische und innerliche Einstellung der Deutschen in den freien Bearbeitungen und Fortführungen der Übersetzer deutlich hervor, nicht ohne freilich die künstlerische Eigenart der Originale erheblich zu beeinträchtigen[1]). Aber diese Durchsetzung des pikarischen Romans mit Reflexion und Lehre bedeutet doch keine Verinnerlichung in dem Sinne, daß der äußere Lebenslauf des Helden zur Charakterentwicklung geworden, daß Wandlung und seelisches Wachstum sichtbar gemacht wäre. Es bleibt bunte Abenteuererzählung mit stark moralisch-lehrhaftem Einschlag.

Das ist die Form, die Grimmelshausen vorfand. Was ihm die Ausläufer des Ritterromans in all ihren Abarten nicht bieten konnten, das war ihm hier gegeben: der Hintergrund der eigenen Zeit, mit der sich auseinanderzusetzen es ihn trieb, ein Lebensweg durch die Wirrnisse und Vielfalt dieser Zeitverhältnisse hin-

---

[1]) Vgl. darüber Rausse, Zur Gesch. d. span. Schelmenromans in Dtschl., Münster 1908. — Der Zusammenhang, den Bottacchiari, Saggio su L'aventuroso Simplicissimus, Torino 1920, zwischen diesen Zutaten der Übersetzer und dem im 'Simplicissimus' behandelten Problem des Entwicklungsromans sehen will, scheint mir übertrieben (s. bes. Parte I, Cap. 2 und 4).

durch — zugleich ein noch so rohes Anknüpfen dieser Lebensbahn an das religiöse Gebot. Aus solchem Boden ist — fast ein halbes Jahrtausend nach dem 'Parzival' — wieder ein Entwicklungsroman erwachsen, nach dem Entwicklungsroman des Rittertums der Entwicklungsroman der nachreformatorischen Epoche mit ihren vielfachen Strömungen und Bewegungen, der Zersetzung von Bestehendem und dem Suchen nach Neuem, der wüsten Zerstörung und dem Streben nach religiösem Heil, einer Epoche der Zertrümmerungen und Entdeckungen, einer Zeit der Gärung und des Übergangs.

2. KAPITEL

GRIMMELSHAUSENS 'SIMPLICISSIMUS'

I. DAS THEMA

Aufbau

Eingebettet in eine bunte Menge von Kriegs- und Schelmenabenteuern, umrahmt von breiter, anschaulicher Sittenschilderung, verleitet die äußere Gestalt des 'Simplicissimus' noch mehr als die des 'Parzival' dazu, seinen Charakter als Entwicklungsroman zu verkennen. Aber die Eindringlichkeit, mit der Darstellung und Kritik der allgemeinen Zeitverhältnisse in dem Werk gegeben sind, der Anteil, den der Dichter selbst ohne Frage an ihrer Aufdeckung nimmt, darf uns nicht dazu führen, diese Zustandsschilderung als Selbstzweck aufzufassen[1]), zu verkennen, daß gerade die Grundidee der Dichtung sie so forderte. Noch mehr geht man irre, wenn man die Deutung des 'Simplicissimus' als Entwicklungsroman darum ablehnen will, weil damit ein zu moderner Gedanke in ein Werk des 17. Jahrhunderts hineingetragen würde[2]). Schon die Analyse des 'Parzival' hat uns gezeigt, und die gesamte Geschichte des Entwicklungsromans wird es noch deutlicher werden lassen, daß der Entwicklungsroman sehr verschiedener Erscheinungsformen fähig und keineswegs nur als psychologischer Roman möglich ist. Vergessen wir überdies nicht, daß nicht die bewußte Absicht des Verfassers, sondern der Charakter der gestalteten Schöpfung als Ausdruck eines nicht verstandesmäßigen, sondern intuitiven Seelenvorgangs über die

---

[1]) So u. a. Bourdeau, Poétes et humoristes de l'Allemagne (Paris 1905), der von solcher Auffassung aus den 'Simplicissimus' gegenüber dem 'Gil Blas' herabsetzt.

[2]) Egon Cohn, Gesellschaftsideale und Gesellschaftsroman d. 17. Jhrdts. (Berlin 1921) urteilt in diesem Sinn (B. III S. 160).

individuality

Eigenart des Werkes entscheidet[1]). So ist denn auch schon früh der 'Simplicissimus' als Entwicklungsroman gedeutet worden[2]).

Früh auch ist bereits auf die verwandten Züge mit dem 'Parzival' hingewiesen worden[3]). Die Betrachtung solcher Ver-

---

[1]) Gerade dies verkennt E. Cohn (a. a. O.), der überhaupt dazu neigt, über Absichten und Zielen der Autoren die Frage nach der künstlerischen Verwirklichung dieser Absichten hintanzusetzen. So erklären sich seine Wertungen Gr.s und der übrigen Schriftsteller des 17. Jhdts.

[2]) Zuerst bei Kläden (Germania 1850, 9 S. 86), wo freilich die Entwicklung ganz einseitig auf die Formel „Kampf zwischen Geist und Welt, Glaube und Leben" gebracht wird. Eingehender bei Thüngerthal, Ein Beitrag zur Würdigung des Simplicissimus von Grimmelshausen (Progr. Bielefeld, Realschule, 1902). — Bloedau, Grimmelshausens Simpl. u. seine Vorgänger (Palästra, Heft 51, Berlin 1908), bes. Kap. IV S. 47ff. u. Kap. VI S. 96ff. B.s These über verschiedene Phasen der Entstehung des Romans ist nicht überzeugend. — S. auch in Gundolf, Grimmelshausen (Dtsch. Vierteljahrsschrift f. Literaturwiss. u. Geistesgeschichte I, 3, 1923). — Von der Bildbeigabe des 'Simplicissimus' aus versucht Halfter, Bildsymbol u. Bildungsidee in Gr.s Simplicius Simplicissimus (Euphorion 1924), der Frage näher zu kommen. — In jüngster Zeit hat Bottacchiari (a. a. O.) eine umfassende Analyse des 'Simplicissimus' als Bildungsroman gegeben. (Vgl. darüber Julius Petersen, Euphorion 1924, 17. Erg.heft). Seine Auffassung der Entwicklungslinie des Helden als Weg von Unschuld durch Sünde und Reue zur Läuterung scheint mir freilich die Formung des Themas bei Gr. etwas zu verengen.

[3]) Zuerst Kläden (a. a. O.), der sich gegen die Behauptung wendet, der 'Simpl.' stelle eine Parodie des 'Parzival' dar. — S. u. a. auch Scherer in seiner Lit.-Gesch. — Für die Möglichkeit, daß Gr. den 'Parzival' gekannt haben könnte, fehlt jedes äußere Zeugnis, wie sich andererseits auch das Gegenteil nicht sicher beweisen läßt. Die Ähnlichkeit der Motive ist nicht derart, daß sie eine Abhängigkeit bedingte. Die Gestalt des Einsiedlers findet sich vielfach in der zeitgenössischen Literatur. Auf Kindermanns 'Nisette' weist Bloedau (a. a. O.) hin, auf den 'Amadis' Egon Cohn (a. a. O.). (Mehr noch als die von letzterem herangezogene Erkennungsszene — s. Cohn S. 159 — läßt die Schilderung der Erziehung Esplandians durch den Einsiedler an Gr. denken. „Und nam im für den jungen zu underweisen und lernen durch alle mittel .... / liebete in auch so sehr / daß er in küsset und halset / als ob er sein leiblicher sohn were. Aber in der warheit er hatte wol ursach dazu / denn sich das kind also lieblich und freundlich gegen im erzeigte / daß er gegen seiner Seugmutter nit mehr hat thun können." Amadis, Buch III, Kap. 7, Frkf. 1574, S. 211) — Baechtold (Euphorion XIX S. 40) sieht in den Einsiedlerszenen des 'Gusman' die Quelle. — Das abseitige Aufwachsen ist, wie wir sahen, ein bekanntes Märchen-

wandtschaft ist für uns in hohem Grade aufschlußreich. Führt sie doch gerade zu jenen Elementen, die das Werk als Entwicklungsroman kennzeichnen. Und eben die verschiedene Formung gleicher Grundmotive hier und dort kann uns über die besondere Einstellung, aus der Grimmelshausen das Entwicklungsproblem gesehen und ergriffen hat, manches aussagen.

Der Werdegang des Simplicius bedarf keiner genauen Nachzeichnung wie der des Parzival. Sein Reifeprozeß birgt keine so tiefen und schwer zu erhellenden Seelenvorgänge wie der des Gralssuchers, er ist um vieles einfacher und liegt offen zutage. In der Art aber, wie Grimmelshausen diesen Lebensweg angelegt und beleuchtet hat, verrät sich die Grundhaltung, aus der heraus hier die Entfaltung des Einzelnen und seine Stellung zur Welt empfunden ist.

Das weltfremde Aufwachsen des Knaben ist auch bei Grimmelshausen zunächst Mittel, für seinen Helden einen Standpunkt außerhalb der menschlichen Gesellschaft zu gewinnen, seine Auseinandersetzung mit den Daseinsformen, die er vorfindet, und sein Eingehen in die Welt sich unverhüllter vollziehen zu lassen. Ganz unmittelbar verrät sich das in einer Äußerung des rückschauenden Erzählers[1]): „Indessen ists doch gewiß / daß

---

motiv. Überhaupt handelt es sich bei der Ähnlichkeit mit dem 'Parzival' nicht so sehr um einzelne Züge als um gewisse Gefühlsschwingungen, wie sie vor allem in der Jugendidylle verwandt anklingen, was aber gerade im Wesen beider Werke als Entwicklungsroman seinen Ursprung haben könnte. Für unsern Zusammenhang ist die Frage, ob Gr. den 'Parzival' gekannt hat, nicht entscheidend. Nicht auf die Verwandtschaft der Motive als solche und ihren Ursprung kommt es an, sondern darauf, wieweit dieselben Züge, gleichviel ob sie dem 'Parzival' entnommen sind, oder nicht, bei Gr. ebenso oder anders verwendet werden.

[1]) Den Zitaten ist die Ausgabe B (nach Borcherdts Bezeichnung I) zugrunde gelegt. Der Streit um die Reihenfolge und Abhängigkeit der Drucke des 'Simplicissimus' ist noch immer nicht völlig geschlichtet. Dem Standpunkt von H. H. Borcherdt, Die ersten Ausgaben von Gr.s 'Simplicissimus' (München 1921) folgend, betrachte ich B als erste echte Ausgabe. Die Seitenzahlen sind nach der Originalausgabe von 1669 (Exemplar der Berliner Staatsbibl.) und nach der Ausgabe von Keller (Stuttg. 1854, Bibl. d. lit. Vereins, Bd. 33/34), die B zugrunde legt und die Lesarten der übrigen Ausgaben anführt, gegeben. Des bequemeren Nachschlagens wegen füge ich die Seitenzahlen der leichter zugänglichen Kögelschen Ausg. (Hallesche Neu-

ein Welt-Mensch / welcher aller Untugenden und Thorheiten gewohnt / und selbsten mit macht / im wenigsten nicht empfinden
kan / auff was vor einer bösen Sprossen er mit seinen Geferten
wandelt"[1]). Die Gewohnheit, die die Sitten der Umwelt selbstverständlich erscheinen läßt, wird mit diesem Motiv ausgeschaltet.
Daß das Kind zuerst — anders noch als Herzeloydes Sohn —
ohne jede Erziehung, in völliger Unwissenheit aufwächst und
in schon empfänglichem Alter die Lehren des Einsiedlers aufnimmt, anfangs also außerhalb der religiösen Ordnung ebensowohl wie außerhalb der weltlichen steht und dann nacheinander
und unabhängig voneinander die eine und die andere kennen lernt,
macht diesen Zusammenhang noch deutlicher. Aber wenn bei
Wolfram die Spannung, die auf diese Weise sichtbar wird, nur die
Spannung an sich zwischen dem Einzelnen und der Welt, der Gegensatz des elementar Menschlichen gegenüber den Bräuchen einer bestimmten Kultur ist, so erhält das Motiv bei Grimmelshausen
eine durchaus andere Färbung. Der Knabe, der nach dem Tode
des Einsiedlers plötzlich mitten in das Treiben der Zeit versetzt
wird, sieht dies Treiben mit den Augen dessen, dem die religiöse
Norm einzige, noch durch nichts gelockerte Lebensrichte ist.
Und das, was er sieht, stellt den äußersten Gegenpol gegen diese
Norm dar, schlägt allem, was er gelernt hat, ins Gesicht. Die
Kluft zwischen einer entarteten Welt und dem — gleichwohl
von dieser Welt anerkannten — göttlichen Gebot tut sich in der
Gegenüberstellung des ahnungslosen Knaben und der ihn als
töricht verspottenden Gesellschaft auf[2]). Der junge Parzival
ist auch in den Augen Wolframs ein „Tor" — nennt er sich doch,
reif geworden, rückblickend selbst so — ein noch Ungeschulter,
Unfertiger; der verachtete Simplicius wird in seiner Unschuld
zum Richter des Weltlebens. Es ist eine andere, und von dem
Dichter anders gewertete Welt, in die Parzival und in die Sim-

---

drucke), die auf A (III nach Borcherdt) fußt, in Klammern bei, ohne
im allgemeinen auf die textlichen Abweichungen von A, die meist
sprachlicher Natur sind, einzugehen. — Die Änderungen der Ausgabe D
(V) sind für unseren Zusammenhang unwichtig.

[1]) Buch I, Kap. 25, S. 94; Keller, Bd. I S. 151 (Neudrucke S. 75,
Ausgabe A wie alle übrigen hat „Strassen" anstatt „Sprossen").

[2]) Das Motiv der Gegenüberstellung eines Ahnungslosen mit der
Welt konnte Grimmelshausen in der satirischen Literatur der Zeit
vorfinden.

plicius eintritt: dort eine feste Ordnung mit Maßen und Gesetzen, nach denen sich der einzelne zu formen hat, hier ein wüstes, gesetzloses Chaos, Verkörperung des Verbotenen, dem es sich gleichwohl einzufügen gilt.

Dem Charakter der Welt, der Simplicius gegenübersteht, entspricht die Erziehung, die ihn weltkundig und -fähig macht. Gesellschaftliche Schulung bedeutete im 'Parzival' Formung des Unfertigen, Ausbildung einer bestimmten Haltung, Aneignung gültiger Sitte, „Zucht" in jenem umfassenden Sinn, den das Mittelalter mit dieser Bezeichnung verband. Was man dem Simplicius in Hanau an Erziehung mit Bewußtsein zuteil werden lassen will, um ihn gesellschaftsreif zu machen, ist nur gerade das, was in der Reformationszeit von jenem mittelalterlichen Begriff noch übriggeblieben ist und wovon uns die Grobianische Literatur mit ihren Tischzuchten, Ehezuchten und dergleichen ein anschauliches Bild gibt: ein Vermeidenlassen gröbster Anstöße im äußeren Benehmen. Dabei muß Simplicius noch die Erfahrung machen, daß nach Trunk und Schwelgerei seine Lehrmeister diese Regeln des Anstands schlimmer als er selbst verletzen. Was Simplicius sonst zu lernen hat, um sich seiner Umgebung anzupassen, ist keine Angelegenheit der Schulung und Übung, der Beherrschung von Gesetzen der Sitte und des Taktes. Sich in die Welt hineinfinden bedeutet vielmehr auf dem Boden des 'Simplicissimus' Kompromiß mit Minderwertigem, Verderbtem, mehr noch: bedeutet Verleugnung der für recht erkannten, gottgegebenen Norm. Daß selbst der Pfarrer den Simplicius zu solchem Kompromiß und solcher Verleugnung mahnt und antreibt[1]), macht die Ironie dieses Erziehungsweges vollkommen. Und die Darstellung des hilflosen Staunens, mit dem der unverdorbene und lebensfremde Knabe vor dem weltlichen Treiben steht, erhält ihre Tiefe und ihren Reiz dadurch, daß dieses Treiben zugleich das Bild von Simplicii eigenem späteren Leben vorwegnimmt, daß die Zeit nicht mehr fern ist, da er selbst Teilnehmer an diesem ihm jetzt noch so unbegreiflichen Schauspiel sein wird.

Gütiger Rat erfahrenen Alters hilft Parzival zum Ritter bilden; Simplicius wird nicht erzogen. Die Umstände selbst

---

[1]) S. bes. Buch I, Kap. 26 u. Kap. 30 gegen Schluß.

schaffen das Kind zum Erwachsenen um, und sie sind nicht freundlicher Art. Nicht Wohlwollen fördert seine Entwicklung, Feindschaft und Bosheit bewirken die Wandlung in seinem Wesen. Ohne Absicht macht man ihn weltklug; Notwehr belehrt ihn. In dem Maß, in dem Simplicius zu ahnen beginnt, daß er allein steht, daß er sich selbst helfen muß, lernt er sich in der Welt behaupten. Die letzte besiegelnde Erfahrung ist die Erkenntnis, daß auch der Pfarrer sich aus Eigennutz von ihm zurückziehen will.

In das Dickicht von Roheit und Betrug, Hinterhältigkeit und Gemeinheit, in dem Grimmelshausens Held leben soll, kann nicht der ruhige Gang allmählicher Entwicklung führen. Ihm ist der krause, zackige, verdeckte Weg gemäß, auf dem Simplicissimus hingelangt, die Gewaltsamkeit gemäß, mit der ihm fast plötzlich die Augen geöffnet werden über die Mittel, deren er sich bedienen muß. Und es wirkt wie ein Symbol dieses Daseins voll wilder Gräuel und blinder Torheit, daß eben, da man den für unklug gehaltenen, in Wahrheit nur weltunkundigen Knaben menschlicher Vernunft berauben will, ihm die Kraft wächst, mit der Welt fertig zu werden. Mit seltsamem Tiefblick und geheimem Darüberstehen, mit einer fast an Shakespeare gemahnenden künstlerischen Kraft und Sinnbildlichkeit sind diese Szenen gesehen: der vermeintliche Narr, der die Welt durchschaut, hintergeht, verspottet, der unter dem Schutz seiner angeblichen Unvernunft ihr den Spiegel vorhält, ohne daß die Verblendete sich in ihm erkennt. An keinem anderen Punkt des Werkes hat sich seines Dichters Schmerz und Spott über die Welt so vollgültig bildlichen Ausdruck geschaffen. Für Simplicius liegt an dieser Stelle der Wendepunkt. Hier nimmt sein innerer Weg die Richtung, die seine fernere Bahn bestimmt und aus der alles weitere nur folgt. Nachdem er sich einmal entschlossen hat, die Welt mit ihren eigenen Waffen zu bekämpfen, braucht es nur Gelegenheit und Glück, ihn von selbst immer tiefer in ihre Verstrickungen hineingleiten zu lassen. Sobald erst der Bann gebrochen ist, der ihn hinderte, sich seiner Umwelt anzubequemen, kann es nicht fehlen, daß, was er jetzt noch aus Notwehr tut, er sehr bald auch für Erfolg und Weiterkommen nutzen wird. Wieder ist es der Pfarrer, der ihm den Bann durchbrechen hilft: „Und wie er sahe / daß ich mir ein Gewissen machte / weil ich so viel Leut / und sonderlich meinen Herrn betröge / wenn ich mich

närrisch stellete / sagte er: Hierumb darffst Du Dich nicht be-
kümmern / die närrische Welt will betrogen seyn"[1]). Damit
ist Simplicius aus dem Schüler des Einsiedlers ein Mitglied der
damaligen menschlichen Gesellschaft geworden.

Auf diesem Boden einmal angelangt, sind seine mannigfachen
bunten Erlebnisse, der Wechsel von Gefahr und Erfolg, Aufstieg
und Unglück, seine Taten und Vergehungen wie seine Ent-
täuschungen und Leiden, nur die Entfaltung des im Keim schon
Vorhandenen. In der Allegorie des 6. Buches vom Geiz und der
Verschwendung[2]) stellt Grimmelshausen im Ausschnitt dar, wie
die Teilnahme am Weltleben als solche, der Wunsch, in ihm eine
Rolle zu spielen, an sich schon zu Unrecht und Verstrickung,
aber auch allzu leicht über Ansehen und Reichtum hinweg schließlich zu Elend und Not führen muß. Was der Traum schildert,
das hat Simplicius alles selbst in der einen oder anderen Form,
im Ansatz oder in vollem Umfang im Verlaufe seines Weltlebens
erfahren und begangen, und jene Allegorie hat die Aufgabe, fühlen
zu lassen, wie schwer den mannigfachen Verführungsmöglich-
keiten entgehen kann, wer erst einmal innerlich dem weltlichen
Treiben verflochten ist. So ist auch für Simplicissimus nach der
Wandlung, die das Narrenerlebnis in ihm bewirkt hat, sein weiteres
Schicksal mehr oder weniger von selbst gegeben. Die einzelnen
Abenteuer, die besondere Form seiner Erfolge und Niederlagen
sind in seinem Lebenslauf nicht das Entscheidende. Daß Wechsel
und Unbestand das Dasein ausmachen, daß es inmitten dieses
Getriebes keinen wahren Ruhepunkt, keine Sicherheit und keinen
festen Grund gibt, das kommt in all den einzelnen Vorgängen
zum Ausdruck und formt das Bild dieser Entwicklung. Für Zartheit
und stetiges Wachsen ist im Rahmen dieser Kriegswelt kein Raum.
Wie es nur Ausgestaltung von schon früh Angedeutetem ist, daß
dem, der noch als Knabe und ohne Verständnis über den Geschlechts-
vorgang in der gröbsten Weise im unmittelbaren Anschauen belehrt
wird, in seiner eigenen Mannesreife keine tiefen Erlebnisse auf
diesem Gebiet beschieden sind, ja, ihm noch in der Einsamkeit
auf ferner Insel das Weib nur als Verführung erscheint, so kann es
uns auch nicht erstaunen, daß der im Narrenkleid unter schlimmster

---

[1]) Buch II, Kap. 8 S. 147. K. Bd. I S. 219 (Neudr. S. 111).
[2]) B. VI Kap. 2—8.

Gefährdung weltklug Gewordene von dieser Welt kein dauerhaftes Glück zu erwarten hat.

Man darf darum den Umschwung von Ansehen zu Niedergang, von Reichtum zu Elend in Simplicius' Leben nicht einseitig moralisch nur als Reihenfolge von Schuld und Strafe deuten wollen. Wohl hat Grimmelshausen ohne Zweifel — wie sein Held bei der Rückschau und sogar hin und wieder mitten im Strom der Ereignisse — in solchen Zusammenhängen göttliche Fügung gesehen. Aber nicht im Sinne einer rein äußeren Bestrafung. Wie das Weltleben den Keim zu sittlichen Verfehlungen in sich birgt, so der mit solchen Mitteln erreichte Wohlstand und Erfolg die Wahrscheinlichkeit des Zusammenbruchs; nicht infolge des Eingriffs höherer Gerechtigkeit, sondern — auch das lehrt uns die Allegorie des 6. Buches — den Gesetzen des Seelenlebens und der menschlichen Verknüpfungen gemäß. Unbeständigkeit ist das W e s e n dieses Daseins. So verkennt man auch den letzten Sinn des Werkes, wenn man in der Tatsache, daß Simplicissimus erst im Unglück den Weg zu Gott zurückfindet, eine religiöse Verflachung sehen will[1]). Wohl führt erst die Enttäuschung an der Welt den Helden zur Abkehr von ihr. Aber eben das macht ja ihren Charakter aus und begründet seinen Entschluß, daß sie enttäuscht, daß sie enttäuschen muß. Weil im Leben draußen keine Beständigkeit, kein wirkliches Glück ist, darum bleibt nur die Weltflucht. Nicht aus theoretischen Erwägungen heraus, nicht aus einem von vornherein gefaßten Standpunkt, sei er selbst von der religiösen Anschauung gegeben, kommt Simplicissimus zur Ablehnung des Weltlebens, sondern nur aus der eigenen, unmittelbaren, immer erneuten und unwiderruflichen Erfahrung, daß es keine echte Befriedigung, keine bleibende Sicherheit und Geborgenheit zu gewähren hat. Wie ihn trotz der gläubig aufgenommenen Lehre des Einsiedlers als Knaben der natürliche jugendliche Lebensdrang in die Welt hineintreibt, so führt ihn — bei aller Zugänglichkeit seiner sinnlichen, abenteuer- und erlebnisgierigen Natur für ihre Verlockungen, die seine wiederholten Rückfälle beweisen — erst die Verzweiflung an ihr wieder aus ihr hinaus.

---

[1]) Man beachte überdies die immer erneuten, stufenweise sich steigernden Ansätze des Simplicius, sich wieder auf Gott zu besinnen. Es ist keine plötzliche Umkehr, sondern eine lang vorbereitete allmähliche Entwicklung.

accept

Man darf wohl annehmen, daß im ursprünglichen Plan der Roman mit dem 5. Buch abschloß. Denn die Rückkehr nach Ort und Lebensform zu den Anfängen seines Daseins gibt dem Weg des Simplicius eine künstlerisch besonders eindrucksvolle Rundung[1]). Aber das 6. Buch nimmt nicht nur — trotz mancher Abschweifungen im einzelnen — in seinem Ausgang den Gedanken des ersten Schlusses wieder auf, sondern führt in der seelischen Vertiefung weit darüber hinaus.

Was im 5. Buch nur als Tatsache berichtet wird, das ist erst in der Robinsonade zu Bild und Ausdruck gelangt. Vor der täglichen Versuchung der Rückkehr ins Leben durch seine Ferne und Abgeschnittenheit geschützt, findet erst auf der entlegenen Insel Simplicissimus die Seelenruhe, aus der er nun um keinen Preis mehr in die Unrast des Daseins zurück will[2]). Zur letzten Reife

---

[1]) H. H. Borcherdt vertritt die Ansicht, daß das 5. Buch nur einen provisorischen, der Drucklegung halber eingeschobenen Schluß bedeute (s. Borcherdt, Die ersten Ausg. v. Gr.s Simpl., München 1921, § 12 S. 36f. — Etwas anders äußert sich Borcherdt in seiner 'Geschichte des Romans und der Novelle in Deutschland', I. Teil, Leipzig 1926 (Buch 3, 2 S. 167). Auf dieses für den Gesamtzusammenhang der vorliegenden Arbeit wichtige Werk konnte, da es erst während ihrer Drucklegung erschien, leider nicht mehr eingegangen werden. — Grimmelshausen, Werke, hsg. Borcherdt, Berlin, Bong. Einl. S. 38). — Julius Petersen, Grimmelshausens 'Deutscher Held' (Euphorion 1924, 17. Ergzgsheft S. 1), führt aus, daß das Werk seinem Wesen nach unendlicher Fortsetzungen fähig sei. Ähnlich Halfter a. a. O.

[2]) Daß Grimmelshausen, unbekümmert um die hier so entschieden ausgesprochene und so tief aus der ganzen Entwicklung herausgewachsene Ansicht seines Helden, in den späteren Werken Simplicissimus wieder nach Deutschland zurückholt, darf uns in der Deutung des 'Simpl.' nicht beirren — so seltsam es bleibt, daß ein Dichter dem Sinn seiner eigenen Schöpfung so ins Gesicht schlagen kann. Freilich, wenn Gr. in den — künstlerisch ja überhaupt minderwertigen — „Kontinuationen" den Simpl. mit gänzlicher Nichtachtung des tiefernsten Schlusses seines Hauptwerks nach seiner Rückkehr von der Kreuzinsel wieder den alten Abenteurer sein läßt, so bleibt im 'Springinsfeld' u. 'Wunderbarl. Vogelnest I' der Charakter des alten Simplicissimus aus dem Schluß des 6. Buches gewahrt, und er wird gewissermaßen als ein Vorbild erlangter Reife und sittlicher Läuterung wieder mitten in die Welt hineingesetzt. Übrigens ist es — gerade in unserem Zusammenhang — sehr interessant, daß nach Simpl.s eigenem Geständnis ('Springinsfeld') das treibende Motiv seiner Rückkehr seine Vaterschaft, die Sorge für die Erziehung des jungen Simplicius ist.

gelangt, über das Treiben der Welt hinausgewachsen zu tiefster
Einkehr und innerer unverrückbarer Sicherheit im Anschaun des
Göttlichen, gütig und weise, voll lächelnder Rückschau auf den
eigenen verworrenen Lebensweg und die Torheit der Menschen,
so steht in dem Bericht des holländischen Schiffskapitäns die
Gestalt des Simplicissimus als eines wahrhaft Gewandelten vor
uns. Grimmelshausen hat in diesen Kapiteln den seelischen Höhepunkt seines Werkes erreicht und in fast überraschender Weise
seinen Helden zu einer inneren Vertiefung geführt, die das Leben
des reinen, unbeholfenen Knaben, des schlauen, unbedenklichen
Glücksritters, des viel umgetriebenen Abenteurers in einen vollen,
hallenden Akkord menschlicher Reife und religiöser Weihe aus-
schwingen läßt, die grellen Klänge und rauhen Mißtöne dieses
Entwicklungsweges in versöhnender Harmonie beschließt.

Standpunkt und Zielsetzung

„Adjeu Welt / dann auff Dich ist nicht zu trauen / noch von
Dir nichts zu hoffen." In dieser Klage des Guevara findet am Ende
des 5. Buches[1]) Simplicissimus das Ergebnis seiner eigenen Lebens-
erfahrung wieder, und die Begründung, mit der er am Schluß des
6. Buches[2]) es ablehnt, nach Europa zurückzukehren, hat den
gleichen Ton. Eine Summe von Greuel und Laster, von Unstete
und Friedlosigkeit, und Ruhe und Glück nur außer ihrem Bereich —
das ist das Bild, das uns Grimmelshausen von der Welt, so farbig
und stark er ihre Verlockungen schildert, so tief er innerlich an
ihr teil hat, zeichnet. Wir hatten erkannt, daß der weltfremd auf-
gewachsene Knabe Simplicius dem Treiben seiner Zeit in seiner
kindhaften Unschuld gleichsam als Richter gegenübergestellt wird,
wo der weltfremde Parzival durchaus ein Schüler der Gesellschaft
ist. Die Wertung, die sich schon hier verrät, wird durch den weiteren
Lebenslauf des Simplicissimus und seinen Ausgang bestätigt,
und alle läßliche Weitherzigkeit und gütige Heiterkeit der Darstellung kann nicht über sie täuschen: wenn Wolframs Held inmitten
einer Umwelt steht, die der Dichter zwar nicht als oberste Norm,

---

[1]) Buch V, Kap. 24.
[2]) VI, 27.

aber doch als gültig und wertvoll empfindet, so der des Grimmelshausen in einer, die der Dichter verurteilt.

Dieses Grundgefühl mußte naturgemäß die ganze Anlage des
Werkes bestimmen. Von der Welt, nicht vom Ich aus ist in Wolframs
Epos das Problem der Entwicklung des Einzelnen gesehen. An der
Lebensform seiner Zeit wird Parzival auch da noch gemessen,
wo er über sie hinauswächst. Die Welt, die uns Grimmelshausen
zeigt, diese Welt, die er anklagt und verwirft, kann nicht in derselben Weise Maßstab für die Entwicklung seines Helden sein.
Die Gewichte sind in seinem Werk anders verteilt. Da die Welt
fragwürdig geworden ist, so mußte der Schwerpunkt mehr nach
der Seite des Einzelnen hinüberrücken. Die Fragestellung ist nicht
mehr ausschließlich, wie sich der Einzelne in einer gegebenen Welt
zurechtfindet: auch wie sich dem Einzelnen die Welt darstellt,
beginnt zum Problem zu werden. So gruppiert sich denn im 'Simplicissimus' alles um die Person des Helden selbst; von ihm unabhängige Episoden, wie die Gawanabenteuer im 'Parzival',
fehlen gänzlich, nur was er unmittelbar erlebt oder was in irgend-
einer Weise auf ihn einwirkt, hat Platz in der Darstellung. Ein
äußeres Symptom dieser Verschiebung ist die Übernahme der
Ich-Form, die Grimmelshausen im spanischen Schelmenroman
vorfand[1]).

Freilich, hat sich die Bedeutung des Einzelnen gesteigert, so
doch nicht in dem Maße, daß, wie wir es im späteren Entwicklungsroman finden werden, nur von ihm aus die Welt gesehen würde.
Ist die Welt nicht mehr verpflichtend, so ist doch auch die Achse
noch nicht in die Seele des Einzelnen verlegt. Ein Absolutes, das
allen Kurven des Einzelwegs gegenüber feststeht, ist auch im 'Simplicissimus', nur hat die gesellschaftliche Welt keinen Anteil mehr
daran. Der Maßstab ist in Grimmelshausens Werk ausschließlich
das göttliche Gebot.

Wohl war auch im 'Parzival' die religiöse Norm oberste
Richte, aber in der Gralswürde, die das Leben des Helden krönte,
einten sich geistliche und weltliche Hoheit. Der religiöse Dienst
steht bei Wolfram nicht in Widerspruch mit dem Weltleben. Ver-

---

[1]) Wieweit das Aufkommen der Ich-Form im Roman überhaupt
mit solcher individualistischeren Richtung zusammenhängt, gehört
nicht in diese Untersuchung. Vgl. Forstreuter, Die Ich-Erzählung,
Berlin 1924.

schmelzung beider ist das Ziel. Das Dasein voll wüster Greuel, voll Roheit und tierhafter Stumpfheit, das uns im 'Simplicissimus' geschildert wird, kann vor der religiösen Forderung nicht bestehen. Ein unüberbrückbarer Riß spaltet diese Welt. Was man in den 'Parzival' fälschlich hineingetragen hat: daß die gesellschaftliche Schulung zur Versündigung am göttlichen Gebot führe, — wir sahen: nicht die höfische Regel sondern Parzivals Unreife in ihrer Beherrschung ließ ihn versagen — das gilt im 'Simplicissimus': auf diesem Boden bedeutet Kompromiß mit der Welt Verrat am Göttlichen. Jene Synthese, die der Schluß des 'Parzival' feiert „daz got niht wirt gepfendet / der sêle durch des lîbes schulde, / und der doch der werlde hulde / behalten kan mit werdekeit . . .", ist im Rahmen des Simplicianischen Kriegslebens undenkbar. Hier gibt es nur die Entscheidung zwischen Welt und Gott.

Diese harte Gegensätzlichkeit bedeutet für den Helden ein seelisches Hin- und Hergerissenwerden zwischen zwei Polen. Freilich, nicht um einen Zweifel am Gültigen handelt es sich dabei. Noch in seinen schlimmsten Verirrungen weiß Simplicius, daß er gegen das religiöse Gebot verstößt. Er vergißt Gottes, er läßt sein Gesetz unbeachtet, wirft es wohl auch trotzig oder frivol beiseite, niemals aber leugnet er das Bestehen dieses Gesetzes. Das gilt es im Auge zu behalten, gerade im Hinblick auf die spätere historische Entwicklung. Religiöse Skepsis liegt Grimmelshausen völlig fern.

Allerdings trägt diese religiöse Norm nicht das Gewand einer bestimmten Konfession, auch dann kaum, als Simplicissimus zur katholischen Kirche übergetreten ist. Nur der christliche Glaube in seiner allgemeinsten Form wird dem Treiben der Welt gegenübergestellt, jede sichtbare Einkleidung, jede kultische Versinnbildlichung fehlt[1]). Wie unkörperlich ist dieses Ziel von Simplex' Entwicklungsweg gefaßt, verglichen mit der Gralsidee des Parzival! An Stelle von Wolframs symbolischer Darstellung im äußerlich sichtbaren Reich, die mit aller sinnlichen Pracht ausgeschmückt ist, tritt hier ein rein Gedankliches, rein Gefühlsmäßiges, das unmittelbar als Seelisches gegeben wird ohne jede Umsetzung in bildhafte Verleiblichung. —

---

[1]) Insofern ist das religiöse Grundgefühl, das das Werk bestimmt, entschieden protestantisch, trotz des Wahl-Katholizismus des Simplicissimus und seines Dichters.

Die Stellung des Dichters zu seiner Zeit findet auch im 'Simplicissimus' ihre Spiegelung in der Art wie die Parallelfigur zum Helden gestaltet ist. Die von Wolfram hochgehaltene, bewunderte Ritterwelt hatte in dem glänzenden, allseitig verehrten Gawan ihren Ausdruck gefunden. Der Vertreter der von Grimmelshausen gegeißelten, verurteilten Welt ist der skrupellose Verbrecher Olivier. Wenn Simplex leichtfertig, der Verführung zugänglich, ohne festen Halt gegen die Lockung von Ehrgeiz und Genuß, aber doch im tiefsten gutgeartet ist, den klaren Blick für Recht und Unrecht bei allem bewahrt, so weiß Olivier nichts von sittlichen Hemmungen, dient mit Bewußtsein und Überlegung nur dem eigenen Vorteil. Schon als Doppelgänger des Jägers von Soest steht er am Wege des Helden als Mahnzeichen und Zerrbild seines Treibens. Vollends, da der ganz herabgekommene Simplicius mit dem Banditen und Räuber zusammentrifft, beleuchtet diese Begegnung seinen Abstieg, kontrastiert aber zugleich seinen Seelenweg aufs Schärfste gegen ein gänzlich entgottetes, nur von nacktem Eigennutz beherrschtes Dasein. Im Urteil Oliviers ist der durch manches Hindurchgegangene noch immer der fromm-einfältige Simplex von einst, der auch jetzt noch nicht begreifen kann, daß im Leben nur Gewalt und List gilt. Wo Simplicissimus schaudert und bangt, spottet und prahlt Olivier. Wie durchaus seine Gestalt als Kontrastfigur zu dem Helden gesehen ist, verrät der Bericht über seine Erziehung. „... keinen Mönchen / sondern einen Weltmann ... der wissen müsse / was Schwartz oder Weiss seye ..." will sein Vater aus ihm machen[1]), wenn er sich auch das Ergebnis anders vorgestellt hat, als es dann ausfällt. Das ist der ausgesprochene Gegensatz gegen Simplicii Erziehung durch den Einsiedler: „Zwar wollte mich mein getreuer Einsidel ein mehrers nicht wissen lassen / dann er hielte darvor / es seye einem Christen genug / zu seinem Ziel und Zweck zu gelangen / wann er nur fleißig bete und arbeite / dahero es kommen / ob ich zwar in geistlichen Sachen ziemlich berichtet wurde / mein Christentum wol verstunde / und die Teutsche Sprach so schön redete / als wann sie die Orthographia selbst ausspräche / daß ich dannoch der einfältigste verbliebe"[2]). Wie Simplicissimus sich mühsam in die Welt gefunden hat, während Olivier von Kind

---

[1]) IV, 19 S. 462. K. I S. 629 (Neudr. S. 348).
[2]) I, 11 S. 39—40. K. I S. 80/81 (Neudr. S. 31/32).

an in ihr heimisch war, so gelangt er auch nicht zum restlosen Einverständnis mit ihrem Gebaren. So tief ihn seine Entwicklung in ihre Verstrickungen hineingeführt hat — im Grund seiner Seele bleibt die heimliche Mahnung, die ihn immer neu, immer stärker weckt, bis sie ihn schließlich wieder aus ihrem Treiben hinausführt.

Aber das Weltbild der Zeit, in der Grimmelshausens Held steht, ist nicht erschöpft mit jener Daseinsform die Olivier verkörpert. Denn das gesellschaftliche Leben ist hier nicht, wie bei Wolfram, dem göttlichen Kosmos eingeordnet, ob auch ohne die letzten Tiefen und Offenbarungen, vielmehr stehen zwei Welten einander schroff gegenüber, und die Auseinandersetzung mit dem Leben bedeutet Kampf zwischen zwei Forderern. Hin und her zwischen beiden schwankt Simplicius' Weg. So wenig er im entseelten Getriebe seiner Umwelt innere Genugtuung empfindet, so wenig ist er doch auch treuer Bewahrer und Bewährer des göttlichen Gebotes. So entspricht es der Gespaltenheit dieses Zeitempfindens, daß Olivier in Hertzbruder noch eine zweite Kontrastfigur an die Seite tritt. Ohne Schaden an seiner Seele zu nehmen, geht Hertzbruder durch das weltliche Treiben hindurch, gefeit gegen seine Anfechtungen, den Wechsel des Glücks als göttliche Schickung willig hinnehmend. Paßt Olivier sich ohne Skrupel diesem Treiben an, so bleibt Hertzbruder von ihm innerlich unberührt. Für beide ist der Erdenweg kein Problem, keine allmähliche Auseinandersetzung mit ihrer Umwelt, sie sind der einen oder der anderen Weltform unbeirrt zugehörig. Simplicius aber, zu tief und wertvoll, um sich auf Oliviers Art mit dem Leben abzufinden, vermag sich doch auch nicht wie Hertzbruder seinen Stimmen ohne weiteres zu verschließen: in der Welt sein bedeutet für ihn, der mit offenen Sinnen für das Dasein in all seinen Formen begabt ist, sich ihr hingeben, mit ihr ringen und ihr untertan sein. Darum kann er sich dem Dienst Gottes nur retten, indem er das Weltgetriebe für immer flieht.

Wir werden uns zu fragen haben, ob diese Weltflucht, in die der Lebenslauf des Helden mündet, Erfüllung und Krönung in der Weise wie die Gralswürde des Parzival ist, ob die Weltabkehr von Grimmelshausen als höchstes Lebensziel gemeint ist, wie jene Synthese, die der Gralsorden verkörpert, von Wolfram. Und wir werden Grund haben, daran zu zweifeln. Schon der Humor und die Farbigkeit der Darstellung im 'Simplicissimus' macht es schwer glaublich, daß Weltverneinung die Norm ist, von der aus das ganze Leben hier gesehen ist. Wo so des Daseins Fülle und Buntheit geschaut und mit innerstem Anteil gestaltet ist, mit solchem Vergnügen am Gegenständlichen selbst Schelmenstreiche und derbe Genüsse geschildert werden[1]), da ist nicht Weltferne die grundlegende Stimmung. Nicht aus der Seelenhaltung des Mystikers kann der 'Simplicissimus' erwachsen sein, auch nicht puritanische Ablehnung des Lebensgenusses spricht hier. Eine fast heidnische Weltfreudigkeit leuchtet wider Willen vielfach im 'Simplicissimus' durch, ungeachtet der Verurteilung und des Ekels über menschliche Schlechtigkeit. Wir fühlen: die Einsamkeit, in der Simplicius endlich den Seelenfrieden findet, ist kein ursprüngliches Wunschbild des Dichters, ist nur ein Ausweg, wo keine andere Lösung bleibt.

Daß das höchste Lebensideal Grimmelshausens nicht Weltabkehr ist, dafür bietet der 'Simplicissimus' aber auch unmittelbare Zeugnisse. Mehrfach und unter verschiedener Gestalt hat der Dichter in seinem Werk das Bild eines göttlich erfüllten Erdendaseins mit allem menschlichen Glück, aber ohne Entartung und Verderbnis, aufgerichtet[2]). Am stärksten und eigentümlichsten vielleicht in der Prophezeiung des Jupiter-Narren vom „Teutschen Helden"[3]). Religiöse Einheit, Friede und Wohlstand, eine feste staatliche und soziale Ordnung, geistige Blüte und nationale Kräftigung — so läßt Grimmelshausen hier ein Zukunftsparadies erstehen. Daß er die Verkündigung dieses Sehnsuchtsbildes dem Geistesverwirrten in den Mund legt, nimmt ihm nicht seinen Ernst[4]). Läßt doch Shakespeare gerade seine Narren die tiefsten

---

[1]) Zieht man vollends das übrige Schaffen Gr.s heran, so lehrt ein Blick auf die 'Courasche', daß hier gewiß kein weltabgewandter Asket vor uns steht.

[2]) Nur in e i n e m Punkt zeigt sich auch in diesen utopischen Wunschbildern ein asketischer Zug: die sexuelle Lust lehnen auch sie ab. Die Frauenerscheinung auf der Insel wird als Teufelsspuk geschildert; und sowohl in der geplanten Täufergemeinschaft wie im Mummelsee-Reich dient der Geschlechtsverkehr lediglich dem Zweck der Fortpflanzung unter völliger Ausschaltung jedes Sinnengenusses.

[3]) Buch III, Kap. 4/5. — Vgl. darüber Julius Petersen a. a. O.

[4]) Petersen sieht in diesem Motiv eine Selbstironie: „Die Selbstironie ist ein Rückfall in den Skeptizismus" (a. a. O. S. 27). Ähnlich Gundolf (a. a. O.): „Hier zuerst begegnen wir der ‚romantischen Ironie' in der deutschen Dichtung, der geistigen Selbstaufhebung" (S. 356).

Wahrheiten aussprechen, letzte Lebensweisheit aus dem kranken Lear reden, wie wir ja auch bei Grimmelshausen selbst in den Anklagen des vermeintlich törichten Simplicius ein ähnliches Motiv fanden. In anderer Weise leuchtet der Traum eines vollkommeneren Menschendaseins in Simplicius' bald wieder aufgegebenem Plan einer Gemeinschaftsgründung nach der Art der Wiedertäufer auf[1]). „Da war kein Zorn / kein Eifer / kein Rachgier / kein Neid / kein Feindschafft / kein Sorg umb Zeitlichs / kein Hoffart / kein Reu!"[2]). Und schließlich gewinnt auch das Mummelsee-Abenteuer[3]) von hier aus erst seine eigentliche Bedeutung. In dem Mummelsee-Völkchen, das zwar keine Fortdauer nach dem Tode im Jenseits, dafür aber in seinem irdischen Leben weder Sünde noch Krankheit kennt, zeichnet Grimmelshausen bewußt ein Gegenbild gegen das menschliche Dasein; ja, es ist fast, als wolle er sich sogar in Gegensatz zum religiösen Glauben stellen, wenn dabei fühlbar irdische Sündlosigkeit höher als die Jenseitshoffnung gewertet wird. Am reinsten und ausgesprochensten aber gewinnt Grimmelshausens Sehnsucht nach einer unverdorbenen, gesunden Lebensführung Gestalt in der Robinsonade des Schlusses. Nicht Asketentum ist der Sinn von Simplicius' Einsamkeit; an Rousseausche Gedanken fast gemahnt die Verherrlichung seines schlichten, frohen Inseldaseins: „Also lebten wir / wie obgemeldet / als die erste Menschen in der güldenen Zeit / da der gütige Himmel denselben ohne einige Arbeit alles guts aus der Erde hervor wachsen lassen;"[4]) und seine Anklagerede gegen Europa: „Hier ist Fried / dort ist Krieg; hier weiß ich nichts von Hoffart / vom Geitz vom Zorn vom Neid vom Eifer / von Falschheit von Betrug von allerhand Sorgen beydes um Nahrung und Kleidung / noch um Ehr und Reputation; hier ist eine stille Einsame ohne Zorn / Hader und Zanck; eine Sicherheit vor eitlen Begierden / eine Vestung wider alles unordentliches Verlangen; ein Schutz wider die vielfältige Strick der Welt / und eine stille Ruhe / darinnen man dem Allerhöchsten allein dienen seine Wunder betrachten / und ihm loben und preisen kan;

---

[1]) Den Zusammenhang der Staatsidee der Jupiterepisode mit dem Plan der Täufergemeinschaft betont auch Petersen a. a. O.

[2]) V, 19 S. 587 K. II, S. 7.   [3]) V, 12—17.

[4]) VI, 22 K Bd. II S. 967 (Neudr. S. 564) (ich zitiere das 6. Buch nach Ausg. C (IV), Exemplar d. Berliner Staatsbibl. Das dieser Ausgabe unter dem Titel 'Continuatio des abendtheurlichen Simplicissimi ..' angefügte 6. Buch ist nicht paginiert).

als ich noch in Europa lebte / war alles (ach Jammer! daß ich solches von Christen zeugen soll) mit Krieg / Brand / Mord / Raub / Plünderung / Frauen und Jungfrauen schänden / ... erfüllt"[1]).

Aber all diese Bilder edleren Menschendaseins bleiben Sehnsucht und Traum. Utopie ist die Prophezeiung des Narren, Märchen der Bericht vom Mummelsee. Und nicht nur aus persönlicher Schwäche läßt Simplicius die Absicht seiner Gemeinschaftsgründung fallen; sein Knän, der einen gesunden Bauernverstand besitzt, sagt ihm voraus, daß er „wol nimmermehr solche Bursch zusammen bringen würde"[2]). Selbst die einzige Verwirklichung jener Ideen im Inselleben des Helden erweist sich nur fern von europäischer Kultur als möglich und bleibt abseits von menschlicher Gemeinschaft das Dasein eines Einzelnen, denn Simplicius' Gefährte geht sogar dort an Unmäßigkeit zugrunde.

Ist also reines, göttlich erfülltes Erdendasein für Grimmelshausen höchster Sinn des Lebens, wie uns jene verschiedenen Gesichte verraten, so doch nicht in der Weise, wie die in der Gralsidee verkörperte Norm es für Wolfram war. Wenn der Gralsorden Symbol ist, so ist gleichwohl sein lebendiger Inhalt als gegenwärtig wirklich gefühlt: es ist kein Wunschbild, sondern ein erreichbares Ziel, dem es nachzustreben gilt. Die Utopien des 'Simplicissimus' aber leuchten fern am Horizonte auf, Traumbilder einer kaum geglaubten Zukunft oder Märchenbilder einer unerfüllbaren Sehnsucht, aber undenkbar in der Gegenwart des Dichters, in dieser Zeit des Zerfalls und der Zerrüttung.

So bleibt Grimmelshausen für seinen Helden nur die Abkehr von der Welt als Lösung[3]). Sie ist nicht Erfüllung und Krönung wie die Gralswürde Parzivals, sie ist Verzicht, Rettung aus Trost-

---

[1]) VI, 27 K. Bd. II S. 995/6 (Neudr. S. 585).

[2]) V, 19 S. 589. K. II S. 783 (Neudr. S. 442).

[3]) Wenn Halfter a. a. O. den Leitgedanken von Simplicii Entwicklung als „eine ewige Bildungsidee ohne Festlegung auf ein bestimmtes Ziel" sehen will „eine zielvolle Höherbildung nach ewigen Gesetzen", so scheint mir damit allzustark modernes Empfinden in das Werk hineingetragen und die — der damaligen Zeit entsprechende — Sehnsucht nach einem festen Ziel- und Ruhepunkt, die das Werk durchzieht, verkannt zu sein. — Auch der Deutung von Ermatinger, dessen Werk (Weltdeutung in Grimmelshausens Simplicius Simplicissimus, Teubner 1925) erst nach Vollendung dieser Untersuchung erschien, vermag ich mich nicht anzuschließen.

losigkeit und Wirrnis. Man hat in der Erkenntnis von der Unbeständigkeit des Lebens den eigentlichen Sinn des 'Simplicissimus' sehen wollen. Aber diese Deutung bleibt auf halbem Wege stehen. Wohl ist es Simplicius' tiefste Erfahrung, das Ergebnis all seiner Erlebnisse, daß die Welt kein sicheres Glück, keinen Ruhepunkt zu gewähren hat, wohl unterstreicht der Dichter in der Baldander-Episode, im Schermesser-Gespräch, in den Eingangsversen zum 6. Buch diese Erkenntnis. Aber weder er noch sein Held begnügen sich mit dieser Einsicht. Eben weil im Leben keine Beständigkeit ist, weil der Traum eines stetigen, befriedigenden Daseins Sehnsuchtswunsch an eine ungewisse Zukunft bleibt, so heißt es das Leben fliehen, die Ruhe da suchen, wo sie einzig zu finden ist: in Gott[1]).

So ist Simplicius zwar kein Geführter und Erwählter wie Parzival, aber auch seine Entwicklung ist kein Weg ins Ungewisse, auch ihm ist das Ziel gesteckt, zu dem es nur heimzufinden gilt, Richte für all seine Abwege und Verirrungen. Dem entspricht es, daß auch im 'Simplicissimus' ein deutliches Schicksalsgefühl waltet, auch da spürbar, wo der Held nicht ausdrücklich die göttliche Lenkung seines Lebens hervorhebt. Gelegentliche symbolische Hinweise, wie Prophezeiungen, abergläubische Wahrzeichen, leise Andeutungen künftiger Enthüllungen, bringen dies Grundempfinden zu bildlichem Ausdruck. Dahin gehören etwa die Voraussagen des Alten Hertzbruder und der Hexe von Soest, dahin auch alles was die Abstammung des Simplicius ahnen läßt. Dieses über dem Helden schwebende, spät gelöste und doch schon früh halbgelüftete Geheimnis seiner Abkunft verstärkt überhaupt das Gefühl der Vorausbestimmung seines Ausgangs. Nicht seine adelige Geburt ist dabei so sehr das Entscheidende als vielmehr die Blutsverwandtschaft mit seinem religiösen Erzieher; sie ist gleichsam Gewähr, daß Simplex nicht verloren gehen, daß er aus allen Irrgängen der Weg zurückfinden wird, wie denn am Schlusse des 5. Buches sich Simplicissimus ausdrücklich auf das Vorbild seines Vaters beruft. Auch die Gestalt Hertzbruders wirkt neben ihrer Bedeutung als Kontrastfigur in solcher Weise als Verkörperung schicksalhafter Verknüpfung. Das stets erneute Auftreten und Wiederverschwinden Hertzbruders geleitet symbolisch Simplicius' immer wieder aufgenommene und bald wieder vergessene Regungen

---

[1]) Nicht zufällig ist Grimmelshausen Zeitgenosse des Gryphius, so grundverschieden auch beider ursprüngliche Anlage gewesen sein mag.

der Reue und religiösen Selbstbesinnung, bis das Wiederfinden beider
zur ersten ernsthaften Sinneswandlung des Helden den Anlaß gibt.

Eine andere Färbung, ein anderes Gesicht trägt der Entwicklungsroman der nachreformatorischen Epoche als der des
Rittertums. Gleiches Erlebnis hat den einen und den anderen
gezeugt: das Tasten nach dem Weg der zur Einheit mit der Welt
führt, das langsame Sichhineinfinden des Einzelnen in den Ge-
sellschafts- und Seelenraum seiner Zeit. Aber Umfang und Gestalt
dieses Raumes ist hier und dort verschieden, verschieden darum
der Zielwille, der die Dichtung lenkt, verschieden die Blickrichtung,
die dem Helden den Weg erspäht. Im Rahmen einer festgeformten
gesellschaftlichen Kultur ist Parzivals Entfaltung geschaut; auf
gesichertem Grunde schreitet er, nur den Pfad gilt es zu suchen,
der ihn zum Gipfel leitet. Erschüttert ist der Boden, auf dem der
umgetriebene Abenteurer des großen Krieges wandelt, den schmalen
Steg über schwankendem Erdreich muß er innehalten, will er nicht
versinken. Krönung winkt dem ritterlichen Gralsucher als Vollendung seiner Lebensfahrt, Zuflucht dem verirrten, müdegewordenen
Kind einer wüsten Zeit.
Dieser Wandel in dem Grundgefühl, das die Dichtung nährt,
Spiegel der Wandlung, die das deutsche Weltbild und Gemeinschaftsleben vom 12. zum 17. Jahrhundert erfahren hat, bahnt die
Richtung an, in der die Geschichte des Entwicklungsromans sich
weiterhin bewegt. Aber er bahnt sie nur an. Auch Grimmelshausens Lebenssucher steht noch, wie Parzival, im umgrenzten
Bezirk, nicht in schrankenloser Weite. Auch über ihm ist die
religiöse Norm aufgerichtet, die seinem inneren Weg das Maß
setzt. Und ist die einsame Ruhe des Simplicius auch ein anderes
als der siegreiche Einzug in die Gralsburg, so ist doch beides ein
Ziel, das nicht der Einzelne sich erforscht, das vielmehr als oberste
Staffel des Weges von Anbeginn unverrückt seiner wartet. Soviel
gelockerter das Gefüge ist, das den Werdeprozeß des Simplicissimus umrahmt, noch stehen die Pfeiler, die die dachende Wölbung
tragen. Der weltliche Kosmos ist zertrümmert, der religiöse nicht.
Wohl wogt um seine Formen der Streit, aber der Glaube als solcher,
das Bewußtsein des göttlichen Gebotes, ist noch unangetastet.
Die Zeit ist nicht mehr fern, da auch diese Bindung sich lösen wird
und dem Entwicklungsroman neue Bereiche sich eröffnen werden.

II. DIE GESTALTUNG

Als ein Abenteurerroman, ein spannender Bericht über allerlei seltsame und wunderliche Begebenheiten, Glücksfälle und Gefahren, erheiternde und schaurige Vorkommnisse, die einem jungen Waghals und Emporkömmling im wechselvollen Lauf der Kriegsjahre widerfahren sind, so stellt sich äußerlich der 'Simplicissimus' dar. Das Gewand der Schelmenerzählung, das die aus Spanien übernommene Gattung darbot, ist nicht nur als Einkleidung ergriffen und benutzt, diese Form der Darstellung war der naturgemäße Ausdruck für alle Zusammenstöße und Verknüpfungen mit der Umwelt, die Grimmelshausen versinnbildlichen wollte. Daß ihm nur der pikarische Roman, der auf dem Boden der Gegenwart mit all ihren Schichten fußte, nicht der galante und Staatsroman mit seiner historischen Verhüllung Raum bot, um die ganze Weltbreite der eigenen Zeit zu spiegeln, haben wir erkannt. Die Form der Ereignisdichtung als solche aber ist selbstverständlich und unerläßlich für ihn, nicht willkürlicher Rahmen, sondern die unmittelbare künstlerische Umsetzung seines seelischen Erlebnisses, der gegebene Weg, um einen Lebenslauf zur Darstellung zu bringen. Man verkennt Grimmelshausens dichterische Voraussetzungen und den Zusammenhang, in den er künstlerisch und geistesgeschichtlich gehört, wenn man in der ausführlichen Schilderung äußerer Begebenheiten, in dem Zurücktreten der seelischen Vorgänge, besonders in der zweiten Hälfte des fünften Buches vor der Wandlung des Helden, ein Zugeständnis an das Publikum sehen will[1]). Es braucht keine derartige Erklärung — so wenig wie die Annahme eines künstlerischen Unvermögens —, und Grimmelshausens Eingangsworte zum sechsten Buch[2]), so ernsthaft sie zu nehmen und so aufschlußreich und bedeutungsvoll sie sind, dürfen

---

[1]) So Thüngerthal a. a. O. S. 5.
[2]) VI, 1 K. II S. 825/6 (Neudr. S. 469/70).

nicht dazu führen, seiner Scheidung in „Kern" und „Hülse"
folgend, das einheitliche Kunstwerk zerreißen zu wollen. Der
'Simplicissimus' ist von Haus aus, seiner eigensten dichterischen
Anlage nach, Geschehnis-Dichtung, wie es der 'Parzival' war.
Die sichtbare Welt steht auch für Grimmelshausen an erster Stelle;
einen Menschen unter Menschen, seine Handlungen und sein Gebaren sieht er vor sich, und die Kraft und Blutwärme der geschauten Bilder bezeugt allein schon, daß nicht äußere Rücksicht
nach Einkleidung suchte, daß vielmehr innerster künstlerischer
Drang hier waltete.

Aber freilich, in diese Sehart, die den künstlerischen Charakter
des Werkes entscheidend prägt und es deutlich als Erben der alten
Abenteuerromane und ihrer Vorfahren, der epischen Besingungen
wunderbarer Fahrten und ritterlicher Heldentaten, denen auch der
'Parzival' entstammte, kennzeichnet, mischt sich sacht ein
Fremdes, Neues, das — so selten und zunächst kaum bemerkbar
es noch auftritt — mählich das Wesen der dichterischen Darstellungsweise zu wandeln beginnt. Die Zusammenhänge von
Parzivals Seelenweg muß der Leser oder Hörer selbst entwirren.
Wolfram sagt, was geschah: warum es geschah, was im Innern des
Helden vorging, das ihn dahin brachte, das können wir nur erraten,
im Spiegel der Geschehnisse erschauen, und nicht zum wenigsten
darum ist dieser mittelalterliche Entwicklungsroman so mannigfacher Deutung ausgesetzt. Im 'Simplicissimus' aber unterbricht
der Dichter, der nicht zufällig durch den Mund seines Helden selbst
berichtet, an den wichtigsten Wendepunkten seine Erzählung,
um auf Triebkräfte und Gesetze des seelischen Prozesses hin und
wieder hinzuweisen. Und noch mehr: der Held selbst hält zuweilen
im Gang seines Lebens an, um nachsinnend und rückblickend
sich klar zu werden, wohin er gelangt ist und wohin sein Weg führt.
Solche Selbstbetrachtungen treten vor allem ein, nachdem Simplicius, aus Wohlstand und Erfolg herabgestürzt, über den Unbestand des Daseins zu grübeln beginnt, da er, zu unfreiwilligem
Stillstand gezwungen, die eigenen Taten zu beschauen und zu werten
anfängt, und sie geleiten und künden, immer neu auftauchend,
die allmähliche Selbstbesinnung und innere Wandlung des Helden.
Da Simplicissimus krank und verlassen in der Fremde liegt, lernen
wir ihn zum erstenmal als Betrachter des eigenen Lebens kennen
„Da fieng ich erst an hindersich zu gedencken / und die herrliche

Gelegenheiten zu bejammern / die mir hiebevor zu Beförderung meiner Wolfart angestanden / ich aber so liederlich hatte verstreichen lassen; Ich sahe erst zurück / und merckte / daß mein extra ordinari Glück im Krieg / und mein gefundener Schatz / nichts anders als eine Ursach und Vorbereitung zu meinem Unglück gewesen ...“[1]) In der Gefahr des Ertrinkens, unter den Mahnungen Hertzbruders[2]) wiederholen sich ähnliche Gedanken, bis sie sich dann in der zweiten Hälfte des fünften Buches zu dem großen Rückblick auf sein ganzes Leben steigern[3]), um, nach neuen Rückfällen noch einmal aufgenommen, schließlich zu der Absage an die Welt zu führen. „Solches machte daß ich mich hindersonne / und von mir selbst Rechnung über mein geführtes Leben begehrte ...“[4])

Gegenüber dem mittelalterlichen Epos hören wir hier einen ganz neuartigen Ton. Wohl aber mögen wir angesichts dieser Selbstschau daran gedenken, daß derartiges in der religiösen Bekenntnisliteratur der Mystik schon wenige Menschenalter nach der Zeit Wolframs, sogar in ungleich stärkerem Maße als hier, ausgebildet war, mögen uns erinnern, daß wir uns in der Epoche nach der Reformation befinden, da solche Keime, ob auch vielfach in anderer Gestalt, zur Entfaltung gelangen und das Grübeln über den rechten Weg, die selbständige Prüfung des eigenen Wesens mehr und mehr an Geltung gewinnt, zum Bedürfnis wird, in dem Jahrhundert, da bereits die Anfänge der pietistischen Bewegung sich zeigen. Als Kind dieser Zeit verrät sich der 'Simplicissimus' auch darin, daß solche Selbstbesinnung zugleich ausdrücklich in ihm gefordert, als wesentliche Tugend erkannt wird: In der Mahnung zu ihr gipfelt die Lehre, die der Einsiedler vor seinem Tode dem Simplex erteilt „... daß Du Dich je länger je mehr selbst erkennen sollest / und wann Du gleich so alt als Mathusalem würdest / so laß solche Übung nicht auß dem Hertzen / dann daß die meiste Menschen verdammt werden / ist die Ursach / daß sie nicht gewußt haben / was sie gewesen / und was sie werden können / oder werden müssen“[5]). Und die Erwähnung des Apollinischen

---

[1]) IV, 7 S. 413. K. I S. 563/4 (Neudr. S. 310).
[2]) IV, 10; V, 1.
[3]) V, 11.
[4]) V, 23 S. 608, K. II S. 809 (Neudr. S. 456).
[5]) I, 12 S. 41, K. I S. 84 (Neudr. S. 33).

„Nosce te ipsum" führt am Ende des fünften Buches Simplicissimus
zu jener Selbstbetrachtung, die ihn vom Unwert der Welt über-
zeugt. Am stärksten aber zeigt sich die Wertung beschaulicher
Einkehr in dem Inseldasein des Helden, dessen innere Reife sich
in der Anknüpfung religiöser Gedanken an die Eindrücke der
Natur und in der rückschauenden Betrachtung des eigenen Lebens
vollendet.

Als grübelnder Betrachter steht aber nicht nur der Held selbst
zuweilen vor seinem Leben, steht auch der Dichter von Zeit zu
zu Zeit vor dem Ablauf des Geschehens, das er berichtet. Das
ist das zweite Moment das in die Darstellungsweise des 'Simplicissimus' gegenüber dem 'Parzival' bei aller grundsätzlichen
Gleichartigkeit eine neue Färbung hineinträgt. Daß der Prozeß,
der sich im Innern des Menschen abspielt, uns stellenweise von
ihm selbst unmittelbar aufgedeckt wird, die Gedankengänge
und Seelenregungen sich vor unseren Augen vollziehen, nicht nur
aus Gebärden, Handlung, Äußerung erschlossen werden müssen,
das war die eine Durchbrechung der reinen Form der Ereignisdichtung. Daß der Dichter die Linie der seelischen Entwicklung,
die wir bei Wolfram aus der Vielfalt des Geschehens selbst heraus-
lösen müssen, uns erkennen hilft, indem er wichtige Wegbiegungen
und Ruhepunkte hier und da bloßlegt, die Richtung der Bahn
an ihnen unverhüllt kenntlich macht, ist die zweite. „. . . gestalten
ich / wie ich den Wald verlassen / ein solcher elender Tropff in der
Welt war / daß man keinen Hund mit mir aus dem Ofen hätte
locken können"[1]. „Auch waren etliche / die hielten mich vor ein
Narren / welche wol am nächsten zum Zweck geschossen haben
möchten / wann ich den lieben GOtt nicht gekennet hätte[2]".
In solcher Weise wird auch die Sinnesänderung des Simplex infolge
des Narrenerlebnisses ausdrücklich ausgesprochen, „damals fieng
ich erst an / in mich selbst zu gehen / und auff mein Bestes zu
gedencken"[3], „. . . dann wann ich die Wahrheit bekennen soll /
so bin ich / als ich zum Narren werden solte / allererst witzig /
und in meinen Reden behutsamer worden"[4]. Auch da, wo die
Tatsachen an sich deutlich genug reden, fügt der Dichter bisweilen

[1]) I, 11 S. 40, K. I S. 81 (Neudr. S. 32).
[2]) I, 19 S. 69, K. I S. 120 (Neudr. S. 54).
[3]) II, 6 S. 142, K. I S. 120 (Neudr. S. 107).
[4]) II, 8 S. 148, K. I S. 220 (Neudr. S. 112).

noch einen besonderen Hinweis auf den Seelenzustand des Helden hinzu: „Betreffend aber die Gefahr meiner Seelen / ist zu wissen / daß ich unter meiner Mussquete ein rechter wilder Mensch war / der sich um Gott und sein Wort nichts bekümmerte ..." [1]

Wenn die Grundanlage des Werkes als Ereignisdichtung, als gegenständliche Darstellung es weit mehr nach rückwärts dem Abenteuerroman aller Art und damit letzten Endes dem mittelalterlichen Epos, dessen Überrest und Ausartung jener ja nur darstellt, als der Romanliteratur des 17. Jahrhunderts verbindet, so zeigen solche reflektiven Züge Grimmelshausen doch auch als Angehörigen seiner Zeit. Noch deutlicher verrät sich diese Verwandtschaft in der Vorrede zum 6. Buch [2]), in der er — mit berechtigtem Unmut über die Verkennung des tiefsten Sinns seines Werkes, zugleich aber mit Verleugnung von dessen eigenstem Charakter zugunsten der damaligen literarischen Anschauungen — einen didaktischen Zweck für den ‘Simplicissimus’ in Anspruch nimmt und ihn in solchem Sinn gewertet sehen will.

Freilich darf über diesem Zusammenhang ein ausschlaggebender Unterschied nicht übersehen werden: die Reflexion der Autoren des 17. Jahrhunderts, etwa die eines Weise, ist, ähnlich der, die wir schon in den vorhergehenden Jahrhunderten beobachteten, und jener, die uns in den Umarbeitungen der spanischen Schelmenromane entgegentrat, rein lehrhafter Natur. Wohl findet sich eine moralische Färbung zunächst auch in Grimmelshausens Betrachtungen, aber die moralische Wertung ist doch fast niemals Selbstzweck. Nicht erbauliche Absicht ist in ihnen bestimmend, sie sind rein beschreibenden Charakters. Ein Neues kündet sich hier, wie in den Selbstbetrachtungen des Helden, an, das — noch zögernd und scheu — sich einen Platz in der Darstellung erobert: seelische Analyse, psychologische Zergliederung.

Das zeigt sich am deutlichsten da, wo der Dichter vom Einzelfall zur Anknüpfung allgemeiner Ergebnisse übergeht. So unzertrennlich von solchen Überlegungen die sittliche Stellungnahme ist, so tritt doch das Interesse an der psychologischen Beobachtung als solcher unverkennbar hervor. So etwa in jener Betrachtung über die seelische Rückwirkung des Besitzes, die Grimmelshausen

---

[1]) IV, 11 S. 431, K. I S. 588 (Neudr. S 324).
[2]) a. a. O.

dem Bericht über Simplicii Gewinnung des Schatzes folgen läßt[1]). Ganz rein, ohne jede moralische Beimischung, und in fast überraschender Eindringlichkeit wird dies psychologische Interesse sichtbar, wo Grimmelshausen das Problem kindlichen Auffassungsvermögens im Anschluß an Simplicii Erziehung durch den Einsiedler aufrollt. „Ich habe seithero der Sach vielmal nachgedacht / und befunden / daß Aristot. lib. 3 de Anima wol geschlossen / als er die Seele eines Menschen einer läeren ohnbeschriebenen Tafel verglichen / darauff man allerhand notiren könne, ... denn daß ich alles so bald gefaßt / was mir der fromme Einsidel vorgehalten / ist daher kommen / weil er die geschlichte Tafel meiner Seelen gantz läer / und ohn einige zuvor hinein gedruckte Bildnussen gefunden / so etwas anders hinein zu bringen hätt hindern mögen"[2]). An dieser Stelle tritt das Thema der seelischen Entwicklung aus dem Stadium bildlicher Umsetzung in sichtbaren Handlungsverlauf einen Augenblick fast in das psychologischnaturwissenschaftlicher Zerfaserung, vereinzelte Vordeutung einer um vieles jüngeren historischen Stufe des Entwicklungsromans.

Was das Eindringen dieses psychologischen Moments, das Bloßlegen seelischer Zusammenhänge, ihre Zergliederung, sei es durch Selbstbetrachtung des Helden, sei es durch den Mund des Dichters, für die Geschichte des Entwicklungsromans bedeutet, was es uns für die Wandlungen und Umgestaltungen des geistigen Lebens, das ihr zugrunde liegt, aussagt, das lassen erst spätere Zeiten klar erkennen, in denen dieser neue Zug zu voller Entfaltung gelangt. Noch sind es erst vereinzelte Ansätze, die inmitten einer ganz anders gearteten Gesamthaltung auftauchen, verstreute Keime in fremdem Erdreich. Denn darüber darf alle Bedeutung dieses psychologischen Elements im 'Simplicissimus' nicht täuschen: der Raum, den die unmittelbare Beschäftigung mit dem Innenleben in dem Werk einnimmt, ist ein äußerst geringer. Bei aller Wertung der Selbsterkenntnis, bei allen gelegentlichen Rückblicken des Helden und Hinweisen des Dichters, bleibt doch der 'Simplicissimus' vor allem bildhafte Schilderung sichtbaren Geschehens, und der Schauplatz, auf dem der Verfasser die Ent-

---

[1]) III, 13.
[2]) I, 9 S. 33/34, K. I S. 70/71 (Neudr. S. 27).

wicklung seines Helden vor uns aufrollt, ist in erster Linie nicht die Kammer der Seele, sondern die Breite der äußeren Welt.

So trägt der 'Simplicissimus' ein Doppelantlitz. Wie er seinem Weltbild nach in vielem noch die Zielhaftigkeit und Gebundenheit besitzt, die den mittelalterlichen Entwicklungsroman kennzeichnete, und doch die größere Subjektivität der Reformationszeit, die erschütterte Lebensform einer Epoche der Gärungen, der Zusammenbrüche und Neugeburten aufweist, so steht er auch in seiner künstlerischen Darstellungsweise auf der Grenzscheide zweier Zeiten. Noch ist in ihm das alte Erzählertum lebendig, das an der sinnlichen Erscheinung, der wahrnehmbaren Gebärde haftet und in ihrem Spiegel seelische Regung schaut und wiedergibt, dem auch Seelengeschichte als Geschichte greifbarer Wirkungen im äußeren Dasein vor Augen steht. Zugleich aber spüren wir, wie die Seele beginnt, sich selbst stärker bewußt zu werden und sich einen neuen Ausdruck zu schaffen: die Regungen des Inneren werden uns hier und da bloßgelegt, wir dürfen der geheimen Zwiesprache des Ich mit sich selbst lauschen, und aus der bunten Welt der Begebenheiten führt uns der Dichter, wenn auch erst für flüchtige Augenblicke, in die verborgenen Verließe des Menschenherzens. Was hier, der Darstellungsweise des Wolframschen Epos noch wesensfremd, eindringt, birgt im Keim schon die Form, die der Entwicklungsroman im folgenden Jahrhundert annehmen wird und die eine neue Phase seiner Geschichte bezeichnet.

III. TEIL.

DER PSYCHOLOGISCHE ENTWICKLUNGSROMAN

1. KAPITEL
ÜBERGANG ZU NEUER ERZÄHLUNGSFORM

Die Stellung des 'Simplicissimus' als Entwicklungsroman in der zeitgenössischen erzählenden Dichtung ist der des 'Parzival' ähnlich: ein einmaliger Gehalt benutzt überlieferte Gattung und bleibt ohne Folger. Die Erzählungsform, in die er hineingegossen wurde, besteht weiter und findet verstärkte Anhängerschaft durch das berühmte Vorbild, dem doch nur vereinzelte äußerliche Züge entlehnt werden. Der pikarische Abenteuerroman, dessen Gesicht der 'Simplicissimus' trägt, ist als „Simpliciade" die große Modeform der nächsten Jahrzehnte geworden. Die Reiseerlebnisse und seltsamen Begegnisse dieser Romane sind Grimmelshausen nachgebildet, aber alle jene Werke bleiben mehr oder weniger im Stofflichen stecken. Wohl besteht eine Neigung, das ganze Leben des Helden, oft von der Geburt an, zu verfolgen, doch ohne jeden Versuch, solchen Lebenslauf als Charakterbild oder seelische Entwicklung zu geben. Höchstens daß hier und da am Schluß eine Bekehrung des leichtsinnigen Abenteurers angehängt wird. Hierin ändert sich kaum etwas, als an Stelle des 'Simplicissimus' das Vorbild des 'Robinson' tritt: mit wenigen Ausnahmen, vor allem der einen bedeutsamen der 'Insel Felsenburg', sind auch die Robinsonaden — soweit es sich bei dem Titel nicht überhaupt nur um einen Reklamenamen für beliebige Betrachtungen handelt[1] — Abenteuererzählungen alten Schlages mit verstärkter Bevorzugung von Seefahrten, Schiffbrüchen und wunderbaren Errettungen auf fernem Eiland.

Es sind die Nachfahren der Geschehnisdichtung, die uns in ihrer vollen Kraft in der Blüte des mittelalterlichen Epos entgegentrat und die auch für Grimmelshausen noch die gegebene Darstellungsform war, mit denen wir es in allen diesen Werken

---

[1]) Wie etwa 'Der moralische Robinson', Halberstadt 1724.

zu tun haben. Aber während diese Gestaltungsweise mehr und mehr vom bildhaft künstlerischen Ausdruck erlebten Gehalts zur bloß stofflichen Wiedergabe inhaltlicher Spannung entartet und mählich in die Niederungen der Literatur hinabsinkt, hat bereits eine ganz neue Darstellungsart begonnen, sich des Gebiets der Erzählung zu bemächtigen. Schon im Amadis-Roman war ausführliche und intime Gefühlsschilderung in einem dem mittel-alterlichen Ritterepos fremden Grade zu beobachten, und die galanten Romane des 17. Jahrhunderts auch in Deutschland steigern und verstärken dieses Element. Haftet der Darstellung von Liebesschmerzen und -Entzückungen in diesen Werken zu-meist etwas Künstliches an, so gewinnt dann, besonders zuerst im französichen Roman, mehr und mehr echtes Empfinden darin Ausdruck, und es ist bei aller Neuartigkeit und aller Bedeutung eines schöpferischen Ereignisses doch nur der Durchbruch eines längst vorbereiteten Prozesses, wenn Rousseaus 'Nouvelle Héloise' schließlich den Weg zur unmittelbaren Aussprache und Analyse der Leidenschaft im Roman findet[1]).

In solcher zunehmenden Beachtung und Wiedergabe von Gefühlsregungen kündigt sich der Beginn einer der erzählenden Dichtung früher unbekannten Beobachtung des Innenlebens an. Doch ungleich größeren Einfluß noch hat auf die grundlegende Umbildung des Romans, die Verlegung des Schwergewichts von dem Bericht von Handlungen und Ereignissen auf den Bericht innerer Vorgänge, ein anderer Zug gehabt. Des Überwiegens der lehrhaft-reflektiven Tendenz in der deutschen Dichtung des sechzehnten und siebzehnten Jahrhunderts war schon zu gedenken. Sie hatte zur Folge, daß die Erzählung — vielfach nur Vorwand zur Ver-kündung einer Moral — der Fabel sogleich die Deutung folgen ließ, die Beweggründe und Absichten der Handlung zugleich mit der wertenden sittlichen Einordnung enthielt. Wie fein der Übergang zwischen dieser allgemeinen moralischen Reflexion und der eigentlich psychologischen Betrachtung war, zeigte uns schon der 'Simplicissimus'. Die weitere Geschichte des Romans im 17. und 18. Jahrhundert läßt diese Verwandtschaft noch sichtbarer werden, die in dem nächsten großen deutschen Ent-

---

[1]) Den Weg des Romans zu immer stärkerer Verinnerlichung des Gefühlslebens schildert eingehend Max von Waldberg, Der empfind-same Roman in Frankreich, I. Teil, Straßb. u. Berlin 1906.

wicklungsroman uns mit voller Schärfe entgegentreten wird. Wenn man heute allzusehr geneigt ist, den psychologischen Roman als dessen höchste Gattung, die reine Geschehniserzählung als primitivere Vorstufe und jene Umbildung schlechthin als Fortschritt anzusehn, so sollten schon die Zusammenhänge seines Ursprungs zu der Frage führen, ob dabei nicht doch ein im Grunde unkünstlerisches Element in die erzählende Dichtung eingedrungen ist, daran gemahnen, daß jene Umwandlung ein Zurücktreten der symbolisch-bildhaften Gestaltung zugunsten eines gedanklicheren Momentes bedeutet.

Wir haben hier nicht zu werten, nur die historische Verknüpfung zu beachten. Da zeigt sich uns, wie auch in der eigentlichen Geburtsstunde des modernen bürgerlichen Romans, bei Richardson, moralische Reflexion an der Wiege der psychologischen Vertiefung Pate gestanden hat. Von dem Gesichtspunkt verfeinerter seelischer Analyse aus bedeutet die unmittelbare Nachahmung des englischen Romans in Deutschland, Gellerts 'Schwedische Gräfin'[1]), trotz allen Hineinspielens abenteuerlicher Züge, die Richardson ausschaltet, und aller Unwahrscheinlichkeiten doch entschieden einen Fortschritt: gegenüber den geradlinigeren Gefühlen einer Pamela, einer Miß Byron, eines Grandison gibt Gellert in der Doppelehe der Gräfin durchaus die Anlage eines empfundenen seelischen Konfliktes, so primitiv und unnatürlich uns auch die Lösung anmutet[2]). Die vielen, meist minderwertigen deutschen Nachfolger Gellerts und Richardsons haben ungeachtet ihrer betonten Gegnerschaft gegen die ältere Gattung der Robinsonaden und Abenteuererzählungen, die teils im Titel, teils im Vorwort, teils im Werk selbst ausgesprochen wird[3]), gleichwohl

---

[1]) Die Schrift von F. Brüggemann 'Gellerts Schwedische Gräfin', Aachen, 1926, konnte, da sie erst während der Drucklegung dieser Arbeit erschien, nicht mehr berücksichtigt werden.

[2]) Dies ist ausdrücklich zu betonen gegenüber Auffassungen wie der von J. G. Robertson, The Beginnings of the German Novel (Westminster Review 142, 1894, S. 183), der Gellerts Werk für eine bloße schwächliche Nachahmung von Richardson erklärt, wie überhaupt den gesamten deutschen Roman bis Wieland als von Richardson blindlings abhängig, in dessen Spuren auch Wieland noch stark stehe.

[3]) Vgl. z. B. ,,Ein nicht romanhafter Roman oder Begebenheiten eines Frauenzimmers vom Lande", Frkf. u. Leipzig 1759. In der Vorrede heißt es: ,,Sie [die Geschichte] ist an sich sehr einfach; es kommen darinne keine weite Reisen durch die Welt und unglaubliche Zusammenkünfte vor. Das gewöhnliche Wunderbare fehlt sehr darinnen."

noch genug Situationen jener Art übernommen; aber wie auch jeweils im einzelnen Fall die Mischung beschaffen ist, ob spannende äußere Handlung, ob Gefühlsmalerei und Seelenspiegelung überwiegt, ob, wie etwa bei Hermes, die moralische Betrachtung eine große Rolle spielt, sie alle bezeugen die Überwindung der reinen Geschehniserzählung, das erwachte Interesse an den Vorgängen des Innenlebens.   Das Zurücktreten der Erzählung überhaupt zugunsten der Beobachtung, Überlegung, gefühlsmäßigen oder satirischen Anmerkung, wie das Vorbild Sternes es anregte, führt weiter auf diesen Weg.   Und gelöster von der moralisierenden Färbung als bei Richardson, wenn auch, bei allem bewußten Kampf gegen sie, selbst nicht völlig frei von lehrhaftem Einschlag, finden wir das psychologische Moment bei Fielding. Freilich gibt auch der 'Tom Jones', der das Heranwachsen eines Menschen darstellt — allerdings nicht im Sinne des Entwicklungsromans als Problem des Hineinfindens in die Welt —, noch nicht zusammenhängende Nachzeichnung innerer Entfaltung, eines seelischen Verlaufs.

Solche Spiegelung und Analyse inneren Werdens, der der Roman aus Ansätzen und Vorstufen im 18. Jahrhundert erst langsam zureift, ist auf anderem Gebiet ja schon sehr viel früher geleistet worden.   Schon in den Bekenntnissen des Mystikers Seuse sahen wir die Zergliederung seelischer Entwicklung bis in alle Einzelheiten durchgeführt.   Und die pietistische Strömung des 17. und 18. Jahrhunderts ließ diese Art der Autobiographie zu voller Blüte gelangen.   Diese religiöse Pflege der Selbstbetrachtung im Pietismus, wie überhaupt die verstärkte Bedeutung des individuellen Seelenlebens im Protestantismus mußte naturgemäß allmählich auch auf die Dichtung übergreifen und auch die Gestaltung des Romans beeinflussen.   Handelt es sich hier in erster Linie um verschärfte Beobachtung der Vorgänge im eigenen Innern, um das klarere Bewußtwerden und Deuten gefühlsmäßiger Wandlungen, Stimmungen und Seelenhaltungen, so wird im 18. Jahrhundert noch von ganz anderer Seite her und unter ganz anderem Gesichtspunkt die Aufmerksamkeit auf das psychologische Gebiet gelenkt.   Mit der Philosophie des modernen Empirismus und der Aufklärung beginnt die Untersuchung der seelischen Vorgänge als naturgesetzlichen Ablaufs, abhängig von physischen Notwendigkeiten, äußeren Umständen, als einer

Kette von Ursachen und Wirkungen, die es aufzudecken gilt.
Wir werden beobachten, wie auch von dieser Auffassung sich
die Seelenschilderung des Romans alsbald gefärbt zeigt.

Wohl können die verschiedenen Keime, die zu der Geburt
einer neuen Form der Erzählung führten, untereinander nach
Ursprung und Wesen getrennt werden, sie alle aber entwachsen
demselben Erdreich, sind nur gemeinsames Symptom für die erwachte und sich stets steigernde Bedeutung, die das Seelenleben
des Einzelnen im allgemeinen Weltgefühl der Zeit gewonnen hat
und die darum auch in der epischen Dichtung schließlich den ihr
entsprechenden Ausdruck finden mußte. —

Als ein allmählicher aber stetiger Prozeß langsamen Ab-
sterbens des alten Ereignisromans und zunehmender Entfaltung
der Seelengestaltung zeigte sich die Geschichte des Romans im
ausgehenden 17. und der größeren Hälfte des 18. Jahrhunderts.
Freilich finden wir im 18. Jahrhundert eine Gattung des Romans,
die sich dieser Linie nicht ohne weiteres einfügen läßt und die für
den flüchtigen Blick mehr der Geschehnisdichtung als dem psychologischen Roman zugehörig scheinen könnte: den historischen
Staatsroman. Aber dieser historische Roman ist so wenig echte
Ereignisdichtung, daß er vielmehr im Sinne der didaktischen
Erzählung des 17. Jahrhunderts gewertet werden muß und mehr
zur politisch-pädagogischen Tendenzliteratur als zum eigentlichen
Roman zu rechnen ist. Für die Einkleidung allgemeiner Lebens-
regeln in das Gewand der Erzählung, wie sie im 17. Jahrhundert
beliebt war und etwa in Weises 'Politischem Näscher' gebraucht
wird, bietet im Bereich höfischen Lebens im 18. Jahrhundert
von Loens 'Graf von Rivera' ein Beispiel. Hier kündet sich
schon der Übergang zum Staatsroman an, der dann freilich, über
den Rahmen der mehr formal-gesellschaftlichen Probleme hinaus-
strebend, den eigentlichen Fragen der Staatsgestaltung sich zu-
wendend, erst aus den französischen Vorbildern stärkere Impulse
gesogen hat. Das Motiv der politischen Utopie, das schon im
'Simplicissimus' anklingt und sich im 18. Jahrhundert in der
'Insel Felsenburg' einen charakteristischen künstlerischen Ausdruck geschaffen hat, entsprach zu sehr einem lebendigen Problem
der Deutschen, als daß die Form, die der politische Tendenzroman
in Frankreich fand, ohne Einfluß auf die deutsche Literatur
bleiben konnte. Da die Einkleidung didaktischer Stoffe in die

Hülle der Erzählung dem deutschen Schrifttum geläufig war, bedeutete das historische Kostüm, das der französische Staatsroman unter der Einwirkung von Fénélons antik maskiertem Erziehungsroman — auf den sich auch von Loen beruft[1]) — und der unmittelbaren antiker Werke wie der 'Cyropädie' anlegte, keine prinzipielle Neuerung oder Wiederaufnahme verschollener Tradition. Der historische Roman selbst hatte allerdings in Deutschland sehr verschiedenen Charakter getragen; zu Zeiten, wie in der 'Octavia', Schlüsselroman und Liebesroman gleich den französischen der M. de Scudéry, war er z. B. bei Happel Abenteuerroman im eigentlichsten Sinne gewesen. Aber die Ähnlichkeit des äußeren Gewandes darf uns nicht darüber täuschen, daß in der zweiten Hälfte des 18. Jahrhunderts auch im historischen Roman nicht mehr die Geschehnisse um ihrer selbst willen, nur ihre Problematik interessierte.

Bei aller tendenziösen und unkünstlerischen Färbung dieser Werke darf ihre Bedeutung in unserem Zusammenhang nicht unterschätzt werden. Denn während der eigentliche Roman der Zeit, der bürgerliche Roman nach englischem Vorbild, sich, gemäß der neuentdeckten Betonung des Innenlebens, und seinem Ursprung entsprechend, auf die Probleme des privaten und Familienlebens beschränkte, war im historischen Staatsroman die Voraussetzung eines breiteren Welt- und Gesellschaftsbildes dargeboten.

So ist es denn nicht erstaunlich, daß der Entwicklungsroman der Epoche in der äußeren Gestaltung diese Romanform nicht unerheblich benutzt hat. Braucht doch der Entwicklungsroman seinem Wesen nach möglichste Weltbreite. Aber Wielands 'Agathon' ist nicht in derselben Weise historischer Staatsroman wie der 'Parzival' Ritterepos, der 'Simplicissimus' Schelmenroman. Wir hatten bisher beobachtet, daß der Entwicklungsroman sich derjenigen Romangattung bediente, die als Spiegelung der betreffenden Daseinsform die jeweils übliche und geltende war oder unter den bestehenden am meisten von dem Leben der Zeit in sich auffing. Im 18. Jahrhundert genügte keiner der vorhandenen Erzählungstypen dieser Bedingung. Fehlte dem bürgerlichen Roman der Umfang, so dem Staats-

---

[1]) von Loen, Der redliche Mann am Hofe oder die Begebenheiten des Grafen von Rivera, Ulm, Frkf. u. Leipzig 1760, Vorbericht.

roman, soweit er überhaupt als echte Dichtungsgattung zu betrachten ist, der Boden für die Entfaltung des Einzellebens.
Auch ist die Form des 'Agathon' nicht aus dem zeitgenössischen
Roman allein herzuleiten. Literarische Eindrücke aller Art des
In- und Auslandes, der Gegenwart und Vergangenheit haben hier
nicht nur als Quelle und Stoff wie bei Wolfram und Grimmelshausen, sondern gerade als formbildende Faktoren zusammen-
gewirkt[1]). Der 'Agathon' kündet sich damit bereits seiner
äußeren Gestalt nach als Kind seiner Epoche mit ihrer Viel-
sichtigkeit und Allempfänglichkeit an, die geneigt ist, aus dem
Nächsten und Fernsten gleichermaßen sich anzuverwandeln,
was fähig ist, ihr das eigene Weltbild gestalten zu helfen. Aus
diesem Charakter der Zeit auch ist die Übernahme des historisch-
antiken Kostüms zu verstehen, die zunächst als ein Widerspruch
zum Wesen des Entwicklungsromans anmutet, dessen Problem
ja gerade die Auseinandersetzung mit der gegebenen Welt ist[2]).

---

[1]) Nach Wielands Bericht über seine jahrelange ausschließliche
Beschäftigung mit fremder Literatur unter Vernachlässigung der zeitgenössischen deutschen kann diese Beobachtung nicht erstaunen, wie
ja überhaupt seine frühe und vielseitige Kenntnis des ausländischen
älteren und neueren Schrifttums bekannt ist. Vgl. Wieland an Leonh.
Meister 28. Dez. 1787 (Ausgew. Briefe v. C. M. Wieland, hsg. von
Geßner, Zürich 1815/16, Bd. 3 S. 379). „In diesen Zeiten [in Kloster-
bergen] trug Xenophon, der englische Spectator, Tatler und Guardian
sehr viel zu meiner Bildung bei . . . .“ „. . . Das beste was er [Dr. Baumer
in Erfurt] an mir tat, war ein sogenanntes Privatissimum, das er mir
über — den Don Quichote las.“ „. . . Ich war bei Bodmern mit
der Französischen, Italienischen und Englischen Literatur sehr bekannt
worden. Auf diese schränkte ich mich fast ganz ein; ich las nichts
Deutsches mehr (besonders keine Journale und neu herauskommende
Sachen) und war von aller deutschen Literatur, aus aller Verbindung
mit deutschen Gelehrten und Schriftstellern bis ins Jahr 1768 so rein
abgeschnitten, als ob ich schon den Styx passiert hätte.“

[2]) Das historische Kostüm ist ja im 'Agathon' lediglich Einkleidung für Vorgänge der eigenen Zeit. Die spätgriechische Periode
mit dem beginnenden Skeptizismus mochte Wieland nach der Art, wie
er sie sah, besonders geeignet scheinen um manche Parallele mit seiner
Epoche zu liefern. Vgl. Wielands Brief an Zimmermann von 1759 (undatiert. Ausgew. Br. Nr. 88 Bd. I S. 355):
„Qui lit Plutarque, verra que la multitude des antiphilosophes
dans ce monde méprisable qu'on apelle le grand monde, a été aussi nom-
breuse au temps de Dion, qu'à celui de Bacon ou d'Algernon Sidney.
Les sophistes étaient généralement honorés, vantés, fêtés et caressés

„Welt" ist für diese Zeit nicht nur die unmittelbar erlebte Gegenwart, sondern fast ebenso sehr die zu einem Bildungsfaktor gewordene Vergangenheit. Es ist kein Zufall, daß es gerade der empfänglichste, allen Eindrücken offenste Geist dieser Zeit ist, der den Entwicklungsroman der Epoche geschaffen hat, wie den 'Parzival' einer der tiefsten unter den Epikern des Mittelalters, den 'Simplicissimus' der lebensvollste Erzähler des 17. Jahrhunderts. Staatsroman und Liebesroman, realistische Satire gegen schwärmende Moral und sentimentale Gefühlsmalerei, Seelenschilderung im Sinne der bürgerlichen Erzählung und Abenteuerbericht alter Art, antikes Schrifttum und philosophischer Dialog, sie alle haben die Elemente geliefert, aus deren Verschmelzung die Romanform des 'Agathon' entstanden ist.

Diese Romanform als Ganzes ist keinem der vergangenen Erzählungstypen zu Dank verpflichtet. Bei aller Anlehnung an Bestehendes ist sie ein neues und eigenes Gebilde, nicht wie bei den früheren Entwicklungsromanen bereitstehendes Gefäß, in das der andersartige Gehalt hineingefüllt wurde, sondern erwachsen aus den Notwendigkeiten dieses Gehaltes, seinen Bedürfnissen sich anschmiegend und von ihm bedingt, und die Bedeutung des 'Agathon' als Entwicklungsromans wird zugleich seine Bedeutung als Romangattung enthüllen.

---

en Grèce, et non pas les Socrates, les Platons. Lisez Platon lui-même et vous en serez convaincu." Über die Frage, wie weit wirklich Antikes im 'Agathon' gewahrt ist, vgl. im einzelnen P. Groschwald, D. Bild d. klass. Altertums in Wielands Agathon. Diss. Gießen 1914. Über die Quellen des 'Agathon' s. Josef Scheidl, Persönl. Verhältnisse u. Beziehungen zu den antiken Quellen in W.s. Agathon, Berlin 1904 (Stud. z. vgl. Lit.Gesch. hsg. Koch Bd. 4).

2. KAPITEL
WIELANDS 'AGATHON'
I. PROBLEMSTELLUNG UND WELTBILD

Kommt man von der dichterischen Wucht und seelischen
Gewalt des 'Parzival', von der Fülle und Erzählerkraft des
'Simplicissimus' her an den 'Agathon' heran, so fühlt man
sich von einer ungleich dünneren Luft umweht. An Stelle von
Wolframs umfassender Weltsicht, von Grimmelshausens blühender
Anschauung begegnet hier die dialektische Zuspitzung einer
philosophischen Alternative, und wir werden zunächst fast irre,
ob wir es in der Tat mit einem Entwicklungsroman zu tun haben.
Nicht weil, wie in den älteren Entwicklungsromanen, bildhafte
Gestaltung den seelischen Prozeß dem ersten Blick verhüllte,
sondern weil das gedankliche Problem fast allein vorhanden und
kaum Raum zur Darstellung menschlicher Entfaltung geblieben
scheint. Und doch ist diese begriffliche Auseinandersetzung nur
die besondere Erlebnisform dieser Zeit für das gleiche Problem,
das in der sagenhaften Mär der mittelalterlichen Dichtung und
in der krausen Fabel des Schelmenromans seinen jeweiligen Ausdruck suchte: den Kampf und Ausgleich des Einzelnen mit der
Welt, geschaut im Bilde eines Lebensweges.

Ein solcher Lebensweg ist auch das Thema des 'Agathon',
und wir fühlen den gleichen Ausgangspunkt hier und dort mit
voller Deutlichkeit, wenn wir Wielands Helden ebenso wie Parzival
und Simplex fern vom Weltgetriebe in der Stille aufwachsen
sehn. Im Heiligtum des delphischen Gottes[1] erfährt Agathon

---

[1] Ob eine literarische Quelle Wieland den Anstoß für dies Motiv
gegeben hat — siehe „Über das Historische im Agathon", wo Wieland
bekanntlich den „Jon" des Euripides als Quelle für diesen Zug angibt;
dagegen Scheidl a. a. O., der auf Heliodors „Theagenes und Chariklea"
hinweist — oder ob seine eigene Jugend in Klosterbergen die Anregung
dafür bot, ist für unseren Zusammenhang ohne Bedeutung.

ebensowenig von Sitten und Gewohnheiten des gesellschaftlichen
Daseins wie Parzival im Wald bei der Mutter, Simplicius als
Schüler des Einsiedlers. Auch hier ist so von vornherein die
Spannung zwischen dem Einzelnen und der Gemeinschaft, in die
er sich eingliedern soll, unverhüllt bloßgelegt. Die Erinnerung
an seine glückliche, kampflose Jugend in Delphi geleitet Agathon
während aller Konflikte und Wandlungen seiner Entwicklung.

Aber der Gegensatz, der mit diesem abseitigen Aufwachsen
im 'Agathon' gegeben wird, ist der Stellung Simplicii zu seiner
Umwelt ähnlicher als der Parzivals. Nicht nur der ahnungslose
Knabe, der in die Gesellschaft seiner Zeit erst hineinreifen muß,
ist Wielands Held; wie bei Grimmelshausen steht vielmehr der
Reinheit des Unerfahrenen eine schlechte und lasterhafte Welt
gegenüber. Das Erlebnis des Agathon ist zunächst das Erlebnis
des Simplicius: Enttäuschung durch die Welt, Erkenntnis der
unüberbrückbaren Kluft zwischen der gelernten und geglaubten
Norm und dem Treiben der Menschen. Nur daß Agathon sehr viel
bewußter und länger dieser Norm treu bleibt als Simplicius. Der
hilflose Knabe in Hanau lernt, nach dumpfem Staunen über
den Abgrund, der zwischen der Lehre seines Erziehers und der
Wirklichkeit klafft, gepeinigt und gefährdet, bald, sich dieser
Wirklichkeit anpassen. Agathon hält trotz Enttäuschung und
Unglück jahrelang an der Forderung des geglaubten Ideals fest;
weder die Einsicht in die Heuchelei der Priester selbst, noch seine
politischen Erfahrungen machen ihn wankend, und Gefahr und
Leid, die er seiner Tugend dankt, befestigen ihn nur darin. Gleichwohl ist das Problem, das sich in diesem Stadium seiner Entwicklung für die Stellung des Einzelnen zur Welt ergibt, dasselbe wie im 'Simplicissimus': wie kann der Reine zum Ausgleich mit der Welt gelangen? „Für ein redliches und dabei noch
wenig erfahrenes Gemüt ist es entsetzlich, zu fühlen, daß man
sich in seiner guten Meinung von den Menschen betrogen habe,
und sich zu der abscheulichen Wahl genötigt zu sehen, entweder
in einer beständigen Unsicherheit vor der Schwäche der einen
und der Bosheit der anderen zu leben oder sich gänzlich aus ihrer
Gesellschaft zu verbannen"[1]), bekennt Agathon, auf seine Athener

---

[1]) Buch 8, Kap. 4 Bd. 2, S. 125. Ich zitiere im allgemeinen nach
der Ausgabe von 1794 in den 'Sämtlichen Werken', Leipzig, Göschen
1794 Bd. 1— 3, nur wo es sich um Stellen handelt, die in der dritten

Enttäuschung zurückblickend, der Danae. Aber in ganz andere Richtung weist dies Problem im Entwicklungsroman des achtzehnten Jahrhunderts als in dem des siebzehnten.

Der Zusammenstoß mit einer leichtfertigen, sittenlosen Welt führt Simplicissimus zum Abfall von der Norm, in der er aufgewachsen, Agathon zum Zweifel an ihrer Gültigkeit. Und mit diesem Motiv erst stehen wir bei Wieland im Zentrum der seelichen Entfaltung; hier erst beginnt im Grunde für ihn der innere Weg seines Helden. Das zeigt sich schon äußerlich darin, daß der Wielandsche Roman nicht mit der Darstellung der Jugendjahre anhebt. Die Vorgeschichte Agathons schafft nur gleichsam die Voraussetzung für diese seine eigentliche Entwicklung, die sich erst in Smyrna anbahnt. Bald nach dem Beginn der Erzählung schlägt Agathons Selbstgespräch nach dem Wiederfinden und erneuten Verlust Psyches, das zugleich den ersten ausführlichen Rückblick auf sein früheres Leben enthält, den Grundton an: „Ist denn das Leben . . . ein unbeständiges Spiel des blinden Zufalls . . .? Oder ist es diese allgemeine Seele der Welt, deren Dasein die geheimnisvolle Majestät der Natur ankündigt, ist es dieser alles belebende Geist, der die menschlichen Sachen anordnet: warum herrscht in der moralischen Welt nicht eben diese unveränderliche Ordnung und Zusammenstimmung, wodurch die Elemente, die Jahres- und Tageszeiten, die Gestirne . . . in ihrem gleichmäßigen Lauf erhalten werden?"[1]) Es ist nur ein leiser Vorklang, der rasch wieder verstummt, aber er birgt bereits das Problem in sich, das Agathons Werden bestimmt. Das Auftreten des Hippias läßt dann dies Problem in voller Schärfe sichtbar werden: die Frage nach der Berechtigung des Lebensideals, unter dessen Zeichen Agathon bisher gestanden hat. Der Wandel seiner Stellung zu diesem Problem, die Erschütterung seines Glaubens, seine Unsicherheit und schließlich das Wiedergewinnen eines festen Standpunktes, macht den allmählichen Reifeprozeß Agathons aus.

Das Gespräch mit Hippias wirft das Problem auf; das Erlebnis seiner Liebe zu Danae bewirkt die erste Veränderung in

---

Fassung nicht enthalten oder abgeändert sind, nach der betreffenden früheren Fassung, und zwar die 1. Fassung nach: Geschichte des Agathon, Th. 1, 2. Frankfurt und Leipzig 1766/67, die 2. Fassung nach: Agathon, Th. 1—4, Leipzig, Weidmann, 1773.

[1]) Buch 1, Kap. 6, Bd. 1, S. 55.

Agathons Anschauungen. Was die Enttäuschung über das Treiben der Menschen so wenig wie die Angriffe des Sophisten vermochte, das erzeugt die Enttäuschung über sich selbst: Agathon wird in seiner Überzeugung wankend, die Norm, die ihm bisher unverrückt feststand, wird ihm fraglich.

Diese Verschiebung seines Standpunktes hat für Agathons Entwicklung eine zwiefache Bedeutung. Wohl droht sie ihn einem völligen Skeptizismus zuzuführen; wohl wird sie von Wieland als Gefährdung seines Helden empfunden und deutlich ausgesprochen, aber ebenso sehr als ein Zeichen inneren Reifens. Der Glaube, der über Agathons Jugend stand, ist im Auge des Dichters nicht schlechthin gültig. Einer lockeren, egoistischen, nur auf Vorteil und Genuß gerichteten Gesellschaft gegenüber der Reine, edel Gesinnte, ist der junge Agathon doch zugleich der Schwärmer und Enthusiast, der sein unbedingtes Ideal noch nicht an der menschlichen Begrenztheit gemessen und ihr angepaßt hat, der die sinnlichen Bedürfnisse des Menschen verkennt und an sich selbst die Unerfüllbarkeit seines Anspruchs erfahren muß.

So dankt Agathon seinem Erlebnis in Smyrna einen vertieften, geläuterten Weltblick. Nicht mehr mit der Ahnungslosigkeit des weltunkundigen Träumers, wie in Athen, tritt er an seine politische Aufgabe in Syracus heran, sondern mit dem bewußten Willen, menschlicher Schwäche und Verderbnis Rechnung zu tragen. Aber auch jetzt, da er nicht mehr als blinder Enthusiast, sondern klarblickend und überlegt, mit gemäßigterer Forderung vorgeht, scheitert er. Die Verstrickung in das öffentliche und gesellschaftliche Leben läßt ihn aufs Neue die Unvereinbarkeit des sittlichen Zielwillens mit Gewöhnung und Haltung der bestehenden Welt erkennen.

In verstärktem Grade drängt sich ihm damit die Frage auf, die ihn schon bei der Abreise von Smyrna beschäftigte, schärfer noch als damals ist der Glaube an sein Ideal bedroht. Und so sehen wir Agathon jetzt zunächst dem gänzlichen Skeptizismus gegenüber. Zum erstenmal gibt er den Einwänden des Hippias innerlich Gehör. Aber wenn Wieland in dem Tugendfanatismus seines jugendlichen Helden unreife Schwärmerei und Übertreibung empfand, über die er ihn hinauswachsen läßt, so ist es doch keineswegs seine Absicht, ihn in absolutem Zweifel enden zu lassen. Eine Art harmonischen Ausgleichs zwischen beiden Extremen

ist das Ziel, das ihm für Agathons Entwicklung vorschwebt. Soweit Agathon in seinen inneren Kämpfen nicht selbst bereits
Unmut und Unglauben überwindet, wird uns doch immer die
Aussicht auf eine künftige Lösung offen gelassen. „Die ver-
stohlenen Blicke, die er noch so gerne in die Szene seiner glück-
lichen Jugend wirft; das Bild der liebenswürdigen Psyche, welches
durch alle Veränderungen, die in seiner Seele vorgegangen, nichts
von seinem Glanze verloren hat; die Erinnerung dieser reinen,
unbeschreiblichen, fast vergötternden Wollust, in welcher sein
Herz zerfloß, als er es noch in seiner Gewalt hatte, Glückliche zu
machen . . all diese Symptomen sind uns Bürge dafür, . . . daß
wir uns Hoffnung machen können, aus dem Streit der beiden . . .
feindlichen Geister . . . zuletzt eine . . . schöne Harmonie von
Weisheit und Tugend hervorkommen zu sehn[1])". Die stärkste
Gewähr dafür, daß Agathon nicht als Skeptiker enden wird, ist
das Verhältnis zu Psyche, dessen Enthüllung als unbewußte
Blutsverwandtschaft ihm erst recht diese Bedeutung verleiht.
Die Gestalt Psyches, die Agathon in allen inneren Wirren immer
wieder vor Augen tritt, geleitet ihn gleichsam als eine Bürgschaft
des Ideals, über dessen Berechtigung er sich klar zu werden müht.
Wir mögen dabei an Simplicii Verwandtschaft mit dem Einsiedler denken; aber das Schicksalhafte, das dort diesem Zug
eigen ist, fehlt hier. Die Enthüllung des geschwisterlichen Ver-
hältnisses wirkt künstlich und gewollt, und auch die Gemüts-
beziehung ist nur psychologisch bedeutsam, insofern wir empfinden,
daß ein Agathon, der Psyche innerlich treu bleibt, nicht dauernd
an jeder sittlichen Norm irre werden kann[2]).

Ein Zurückfinden Agathons zum Glauben seiner Jugend,
aber geläutert von aller gefühlsmäßigen Überschwänglichkeit
und geprüft durch die Einsichten des Verstandes, ist das von
Wieland beabsichtigte Ziel. Aber dies Ziel ist im Roman nicht
eindeutig und klar herausgebildet. Das ist nicht nur künstlerisches
Unvermögen, nicht etwa nur ein Versagen der Gestaltungskraft.

---

[1]) 1. Fassg. Buch 10, Kap. 5, Teil II S. 290/91 (2. Fassg. Buch 11
Kap. 3, Teil IV S. 39/40).
[2]) In gleiche Richtung weist es, wenn die seit der 2. Fassung zu-
gefügte 'Geheime Geschichte der Danae' Danae als Agathons würdig
und im Grunde ihm ebenbürtig, nur durch die Verhältnisse irregeführt,
darzustellen sucht.

Das Unbefriedigende, das dem Ausgang von Agathons Entwicklung anhaftet und trotz Wielands verschiedener Versuche auch in der letzten Fassung nicht überwunden ist, liegt in der seelischen Grundhaltung selbst begründet. Schon die Linie der Entwicklung verrät an manchen Orten — und das erschwert ihre klare Nachzeichnung —, daß dem Dichter der feste Standpunkt zu dem Problem fehlt; die Behandlung des Ziels läßt dies vollends deutlich werden.

Wie schwer Wieland die Formulierung dieses Ziels wurde, wie wenig befriedigt er selbst von der inneren Lösung war, zeigen die Änderungen und Erweiterungen gerade des Schlusses, die ja neben den formalen Verbesserungen die Hauptunterschiede der drei Fassungen ausmachen[1]). Hatte er sich zunächst damit begnügt, in der Gestalt und dem Hause des Archytas das Ideal zu verkörpern, dem er Agathon zuwachsen ließ, so fügt die zweite Fassung noch eine ausführlichere begriffliche Darlegung des Standpunkts, zu dem Agathon sich schließlich durchgerungen, hinzu. Diese Ausführungen, deren Charakter durch die Umgestaltungen der dritten Fassung kaum gewandelt ist, lassen die

---

[1]) Wieland betont in der Vorrede zur 3. Ausgabe daß der ursprüngliche Plan in den verschiedenen Umarbeitungen keine Veränderung erfahren habe: „da die Ursache mehr in zufälligen Umständen ... lag als in einer wesentlichen Veränderung der Denkart, worin die Idee des Werkes in seiner Seele empfangen wurde" „... und vermittelst alles dieses das Ganze in die möglichste Übereinstimmung mit der ersten Idee desselben zu bringen." Daß Wieland von vornherein eine nähere Ausführung des System des Archytas geplant hatte, beweist nicht nur der Hinweis am Schluß der 1. Fassung (1. Fassg. Buch 11, Kap. 5, Teil 2 S. 352), sondern auch mehrere Briefe Wielands aus der Zeit der ersten Niederschrift des 'Agathon'. Vgl. Wieland an Geßner, 21. Dez. 1767 (Auswahl denkwürdiger Briefe v. C. M. Wieland hsg. v. Ludwig Wieland, Wien 1815 Bd. I, S. 75): „In nächstkünftigen Jahren soll Agathon einen 3. Teil bekommen. Dieser Teil wird den besonderen Titel: „Archytas" haben und spekulativische Unterredungen zwischen diesem weisen Alten und unserem Agathon enthalten. Die Religion wird ein hauptsächliches Objekt davon sein und Ihre Freunde werden, wie ich hoffe, mit mir zufrieden sein." Wieland an Zimmermann, 12. Mai 1768 (Ausgew. Br. Bd. II S. 301): „Au reste je me propose si je vis assez longtemps pour y trouver le loisir, de donner de l'Agathon une nouvelle édition changée à plusieurs égards, et augmentée d'une partie de ce que j'ai promis sur la dernière page, c'est à dire d'entretiens philosophiques d'Archytas et d'Agathon sur des objets intéressans."

Grundeinstellung in aller Schärfe sichtbar werden[1]). Eine Synthese zwischen gefühlsmäßiger Schwärmerei und weiser Lebensbeherrschung, eine „vollkommene Harmonie . . . worin Weisheit und Tugend zusammenfließen"[2]), soll dargestellt werden, aber es bleibt nur der Eindruck eines matten Kompromisses; zwischen ungläubiger Skepsis und der mühsamen Bewahrung einer Norm, die doch nicht mehr wirklich verbindlich ist, wird ein gangbarer Mittelweg gesucht[3]). „Seine Beobachtungen vollendeten, was der Umgang mit dem weisen Archytas und anhaltendes Nachdenken über seine Erfahrungen angefangen hatte. Sie überzeugten ihn, daß die Wahrheit zwischen dem System des Hippias und des Plato, aber näher bei diesem, als bei jenem, liege"[4]), oder, wie es in der 3. Fassung heißt: „daß die Menschen, im Durchschnitt genommen, überall so sind, wie Hippias sie schilderte, wiewohl sie so sein sollten, wie Archytas durch sein Beispiel lehrte"[5]). Die Auffassung des Menschen als eines Doppelwesens zwischen Tier und Geist, dessen Aufgabe es sei, seine sinnliche Anlage durch die geistige zu überwinden, die Überzeugung von der Notwendigkeit des Festhaltens an der Tugend zur Verhinderung völliger Sitten-

---

[1]) Es kann nicht unsere Aufgabe sein, den Standpunkt dieser Schlußbetrachtungen, so wenig wie den der Lebensweisheit des Archytas, nach seiner Zugehörigkeit zu einem philosophischen System zu bestimmen oder die Einflüsse der zeitgenössischen Philosophie auf diese Anschauungen im einzelnen zu untersuchen. Auch die Frage, wieweit das pythagoräische Glaubensbekenntnis des Archytas nur antikes Gewand für christliche Ansichten ist, wieweit Mischungen verschiedener Weltanschauungen sich darin finden, ist für unseren Zusammenhang unwesentlich, für den es nur auf die gesamte Lebenseinstellung, die diesen einzelnen Ansichten zugrunde liegt und sich in ihnen ausspricht, ankommt. Über die philosophischen Ansichten Wielands, soweit sie für den „Agathon" in Frage kommen, vgl. u. a. Emil Hamann, Wielands Bildungsideal, Chemnitz 1907; Timotheus Klein, Wieland und Rousseau (Kochs Studien zur vgl. Lit. Gesch. 3) 1903.

[2]) Buch 13, Kap. 1; Bd. 3, S. 189.

[3]) Ähnliches gilt von dem Ausgang, den Wieland seit der 2. Fassung dem Verhältnis Agathons zu Danae gibt, nachdem er ihn in der 1. Fassung ungewiß gelassen hatte: die Entsagung, durch die die Geltung von Agathons ursprünglichem Ideal gerettet werden, seine Liebe zu Danae selbst nachträglich veredelt werden soll, wirkt nicht überzeugend, erscheint gekünstelt und unwahrscheinlich.

[4]) 2. Fassg. Buch 12, Kap. 12, Teil IV S. 275/76.

[5]) Buch 16, Kap. 4; Bd. 3, S. 419.

und Regellosigkeit — all das erscheint als der verdünnte Überrest, der gedankliche Niederschlag ehemals lebendig und zwingend empfundener Bindungen. Und hierin liegt die Unklarheit, die dem Ziel des 'Agathon' anhaftet: wohl will Wieland den Weg seines Helden in eine richtunggebende Norm münden lassen, aber es fehlt dieser Norm die Kraft des Erlebten und Geglaubten.

Derselbe Zwiespalt zwischen Wunsch und Vermögen verrät sich in dem Verhältnis, in dem Religion und Sittlichkeit in diesem Weltbild stehn. Schon die zweite Fassung gibt in kurzem Abriß[1]) den Keim des Systems, das Wieland später in der Philosophie des Archytas eingehender vertieft und zu begründen versucht hat und das in geläuterter Form den Jugendglauben Agathons wieder aufnehmen will. Die Anschauungen, die den Lebensweg Agathons krönen sollen, finden hier ihre Verknüpfung in einer zusammenhaltenden religiösen Idee. Und doch fühlen wir, wie in Wahrheit das religiöse Moment nur sekundär ist, nur als begleitende Folge einer abstrakten Sittlichkeitsforderung auftritt, wenn es in jenen Schlußbetrachtungen heißt: „Er sah, daß einzelne Menschen und ganze Völker Religion ohne Tugend haben können, und daß sie dadurch desto schlimmer sind; aber er sah auch ohne Ausnahme, daß einzelne Menschen und ganze Völker, wenn sie schon gut sind, durch Gottesfurcht desto besser werden"[2]). Wir stehen auf dem Boden der Aufklärung, und weder die religiösen Empfindungen des Helden, noch die Beibehaltung des Glaubens an einen höchsten, alles durchdringenden und erfüllenden Geist dürfen uns darüber täuschen, daß dieses Weltbild als Ganzes nicht mehr im religiösen Erleben verwurzelt ist.

Aber noch in anderer Hinsicht klafft in der Lösung des Werkes ein Zwiespalt zwischen dem von Wieland Gewollten und Aus-

---

[1]) In dem in der Fassg. 3 fortgelassenen Passus der Schlußbetrachtung (2. Fassg. Buch 12, Kap. 12, Teil IV S. 279/81 „Bei allem diesem blieb ihm ..." bis: „... Pflichten der Menschheit"). Vgl. auch Wielands Brief an Göschen vom 14. April 1794 (Gruber, C. M. Wielands Leben, Band 4 = Wielands Werke hrsg. Gruber Bd. 53 — Leipzig 1828, S. 60: „Was in der Weidmannschen Ausgabe das 12. und letzte Kapitel des 12. Buchs ausmachte, ist hier (mit ... Weglassung einer Stelle, deren Inhalt in das dritte Kapitel verwebt werden mußte) das 4. Kapitel des 16. Buches."

[2]) Buch 16, Kap. 4; Bd. 3, S. 420; 2. Fassg. Buch 12, Kap. 12 Teil IV S. 277: „... wenn sie gut waren durch die Frömmigkeit desto besser wurden."

gesprochenen und der seine Darstellung vielfach unbewußt tragenden Seelenhaltung. In Gestalt und Leben des Archytas hat Wieland das Idealbild gezeichnet, das die Erfüllung von Agathons Suchen bedeutet. Wohl läßt der Roman in der letzten Fassung den Helden nicht mehr als erschütterten Skeptiker nach Tarent kommen, dem erst Archytas den Weg zum Wiederfinden seiner seelischen Ruhe weist, sondern bietet durch den Besuch des Hippias schon vorher dem Agathon die Möglichkeit, aus eigener Kraft sich auf sich selbst zu besinnen. Aber ob auch nun nur noch Bestätigung und Vorbild, bleibt doch die Persönlichkeit des Archytas der Zielpunkt, dem die ganze Entwicklung zustrebt[1]). Und hierin liegt eine Schwierigkeit, die das gesamte von Wieland erstrebte Ergebnis in Frage stellt. Wieland hat in den beiden ersten Fassungen sich gegen den möglichen Vorwurf zu rechtfertigen versucht, daß mit Agathons Ankunft in Tarent der Roman in das Gebiet der Utopie münde, das er bisher vermieden habe[2]). In der Tat entsteht die Frage, warum bei Archytas und in Tarent möglich ist, was durch das ganze Werk hindurch als auf Erden unmöglich hingestellt wird. Die Beantwortung dieser Frage gibt Wieland durch die Schilderung von Archytas' Charakter. Eine glückliche Naturanlage hat in Archytas die Voraussetzungen zu einem vollkommenen Menschenbild geschaffen. Damit stehen wir vor einem Resultat, das gewiß nicht von Wieland beabsichtigt war und das doch ein helles Licht auf die dem ganzen Werk zugrunde liegende Weltansicht wirft: Keine Norm wird durch Archytas vertreten, einmalige Umstände haben hier eine ideale Charakterbildung begünstigt. Ausdrücklich heißt es bei der ersten Schilderung des Archytas: „Die Natur schien sich vorgesetzt zu haben, in ihm zu beweisen, . . . daß, wofern es gleich der Philosophie nicht unmöglich ist, ein schlimmes Naturell zu verbessern, . . . es dennoch der Natur allein zukomme, diese

---

[1]) Ob die Weltanschauung des Archytas Wielands eigene Weltanschauung ist — vgl. Wieland an Sophie Reinhold 26. Nov. 96 (Wieland und Reinhold, hsg. von R. Keil, Leipzig und Berlin 1885 S. 226); siehe auch Otto Freise, Die drei Fassungen des Agathon, Diss. Göttingen 1910, S. 100/106 — ist dabei gleichgültig. Was sie im Zusammenhang des Romans bedeutet, wieweit sie hier überzeugend wirkt und mit wahrem Leben erfüllt ist, darauf allein kommt es in unserem Zusammenhang an.

[2]) 1. Fassg. Buch 11, Kap. 1 Teil II S. 292/3 (2. Fassg. Buch 11 Kap. 4 Teil IV S. 41/42).

glückliche Temperatur der Elemente der Menschheit hervorzubringen, welche unter einem Zusammenfluß eben so glücklicher
Umstände endlich zu dieser vollkommenen Harmonie aller Kräfte
und Bewegungen des Menschen, worin Weisheit und Tugend zusammenfließen, erhöht werden kann"[1]). Die individualistische
Einstellung, die sich hier zeigt, verrät sich noch stärker, wenn
wir Wieland an verschiedenen Stellen des Romans ganz im Sinne
der modernen Milieutheorie die Ansicht vertreten sehn, daß die
Umstände, unter denen der Mensch aufwächst, nicht nur seine
Charakterbildung, sondern sogar das Ideal das ihm vorschwebt
wesentlich bestimmen. Die Ungunst der Verhältnisse wird als
entscheidende Ursache betrachtet, daß Danaes Leben nicht so
rein und sittenstreng wie das Psyches verlaufen konnte[2]), und
Agathon erklärt der Danae die Entstehung seiner ganzen Sinnesrichtung unter diesem Gesichtspunkt[3]).

Wir können nicht zweifeln: die gesamte Anlage dieses Entwicklungswegs, die Art der Problemstellung muß in letzter Konsequenz zu solchem Individualismus führen[4]). Wieland hat diese

---

[1]) Buch 13, Kap. 1; Bd. 3, S. 189.

[2]) s. Buch 9, Kap. 4: „Danae mag wegen ihrer Schwachheit gegen
ihn so tadelswürdig sein, als man will, so war es doch offenbar unbillig,
sie zu verurteilen, weil sie nicht Psyche war; oder, um bestimmter zu
reden, weil sie in ähnlichen Umständen sich nicht vollkommen so wie
Psyche betragen hatte. Wenn Psyche unschuldiger gewesen war, so
war es weniger ein Verdienst als ein physischer Vorzug, eine natürliche
Folge ihrer großen Jugend und ihrer Umstände. Danae war es ver-
mutlich auch, als sie mit aller Naivität eines Landmädchens von vierzehn
Jahren bei den Gastmählern zu Athen nach der Flöte tanzte oder den
Alkamenen für die Gebühr das Modell zu dem halbaufgeblühten Busen
einer Hebe vorhielt. War es ihre Schuld, daß sie nicht zu Delphi erzogen
worden war? oder daß sich die ersten Empfindungen ihres jugendlichen
Herzens für einen Alcibiades und nicht für einen Agathon entfaltet
hatten?"

[3]) Siehe Buch 7. Kap. 1; Bd. 2, S. 8.

[4]) Bis ins Letzte durchgeführt finden wir diesen Individualismus,
der sich im 'Agathon' nur wider Willen verrät, in dem 1800 im 'Attischen
Museum' erschienenen 'Agathon und Hippias, ein Gespräch im Elysium'
(Att. Mus. 1800 III 2, S. 269. s. besds. die Stellen: „Agathon: „... Oder,
was nennst Du Vollkommenheit?" Hippias: „Das, was wir von Natur
sind, ganz zu sein, und es in einem so hohen Grade, in so reicher Übereinstimmung mit uns selbst zu sein als möglich ..." „Denn, wofern
wir anders etwas mehr als ein bloßes Aggregat von Zufälligkeiten sind,

Konsequenz nicht gezogen. Nicht mit der Zertrümmerung der Norm endet sein Entwicklungsroman, sondern mit einem mühsamen, fast gewaltsamen Festhalten an der Norm. Aber diese Scheu, den äußersten Schritt zu tun, vermag das Gesamtbild des Werkes nicht zu verschleiern. Durch solches Abbiegen des Schlusses dürfen wir uns nicht darüber täuschen lassen, daß die entscheidende Wendung geschehen ist und wir den Boden verlassen haben, der noch Grimmelshausens Helden trug.

Wohl geht auch Agathon noch wie Simplicius von der zielgebenden Norm aus; aber wenn Simplicius zeitweilig von ihr abfällt, um zuletzt wieder zu ihr zurückzukehren, so wird Agathon an ihr irre. An diesem grundlegenden Unterschied ändert es nichts, daß auch der 'Agathon' schließlich mit der Bejahung der Norm endet; daß die Frage ihrer Gültigkeit aufgeworfen wird, das ist das Entscheidende. Zwischen Recht und Unrecht kann Simplicius wählen, was Recht und Unrecht ist, ist das Problem des 'Agathon'. So ist denn auch nicht der skrupellose Verbrecher

---

so muß den Bestimmungen, die wir von außen her erhalten, und denen, die uns unsre eigne Willkür gibt, etwas eigentümliches und beständiges zum Grunde liegen, und was könnte das anders sein als die individuelle Form, von welcher sich niemand trennen kann? Die reinste Übereinstimmung mit dieser Form ist unsre Vollkommenheit, unser letztes Ziel; denn aus sich selbst kann niemand herausgehen, um ein anderes zu suchen!" „... Der inneren Form selbst, welche sich wohl verbilden, verzerren und verstümmeln, aber nicht anders ausbilden läßt als durch Entwickelung; nicht wie der Künstler aus demselben Marmorblock einen Apollo oder Marsyas bilden kann, sondern wie der Keim einer Pflanze, Stiel, Blätter, Blume usw. aus sich selbst herausbildet ..." Als Erfüllung des von Wieland in der 2. Fassung des 'Agathon' gegebenen Versprechens einer Zergliederung des Systems des Hippias, wie Gustav Wilhelm, Die zwei ersten Ausgaben des 'Agathon' (Festschr. d. Dtsch. akad. Phil. Vereins in Graz 1896) S. 97, und ihm folgend Freise a. a. O. S. 34, will, kann dies Gespräch nicht angesehen werden. Vielmehr zeigt sich hier ein neuer Standpunkt, der im 'Agathon' zwar vorbereitet ist, aber keineswegs dort schon anerkannt und vertreten wird. Aus diesem Dialog spricht bereits eine Grundeinstellung, wie sie der 'Wilhelm Meister' vertritt, der ja auch seinem Erscheinen vorhergeht. Ob eine direkte Beeinflussung durch Goethe vorliegt oder wieweit die stark hervortretende Verwandtschaft mit Goetheschen Anschauungen auf bestimmte gemeinsame Anregungen, wieweit auf die allgemeine Zeitrichtung zurückgeht, kann hier nicht entschieden werden.

der Gegenspieler Agathons, sondern der Skeptiker. Die sittliche
Laxheit des Hippias ist nur eine Folge seiner Anschauungen.
Wie immer, so ist auch hier die Kontrastfigur zugleich Vertreter
der Umwelt des Helden, ihren Gewohnheiten und Bedürfnissen
entsprechend. Wieland, bewußter als seine Vorgänger, hat dies
selbst ausgesprochen: „Da es nur gar zu gewiß scheint, daß der
größte Teil derjenigen, welche die sogenannte große
Welt ausmachen, wie Hippias denkt oder doch nach
seinen Grundsätzen handelt"[1]).

Beachten wir auch, daß hier die Kontrastfigur, so ablehnend
sie behandelt wird, doch ein höheres Niveau einnimmt, als es dem
Vertreter des Weltlebens bei Grimmelshausen zukam. Wieder
spiegelt sich in der Wertung der Parallelfigur die Stellung, die
der Dichter zu den Lebensformen seiner Zeit einnimmt. Nicht
daß der Menschen Gesinnung und Handeln in Wielands Roman
in günstigerem Lichte gesehen wäre als in dem des Grimmelshausen — wir wissen, wie der 'Agathon' „die Menschen, im
Durchschnitt genommen", schildert. Aber die Beurteilung des
menschlichen Verhaltens mußte läßlicher werden, weil das Maß,
nach dem allein es gerichtet werden kann, schwankt.

Den Konflikt zwischen dem Treiben der Welt und dem
religiös-sittlichen Gebot kann Simplicius damit lösen, daß er die
Welt verläßt. Für Agathon kommt dieser Ausweg, bei aller
Neigung zu einem kontemplativen Dasein, wie er es einst in seinem
Jugendidyll zu Delphi hatte führen können, nicht in Frage[2]).
Denn nicht um Bejahung oder Verneinung des Weltlebens handelt
es sich für ihn, sondern um die Frage, ob die Welt oder sein Glaube
im Recht ist. Das ist ein charakteristischer Ausdruck der grundlegenden Wandlung, die sich in dem Jahrhundert das zwischen
Grimmelshausen nnd Wieland liegt vollzogen hat. In dem Auseinanderklaffen der bestehenden Welt und der über ihr aufge-
richteten Norm ist diese Norm für Grimmelshausen das un-
antastbar Gegebene, der feste Pol, wenn alles andere wankt. Es
heißt, sich entscheiden zwischen Gott und Welt: wer jenem treu

---

[1]) Vorbericht zur ersten Ausgabe (Sämtl. Werke, Bd. 1, S. XXI)
[2]) Ausdrücklich wendet sich Wieland in den beiden ersten Fassungen gegen die Möglichkeit, seinen Helden als Einsiedler enden zu
lassen. Siehe 1. Fassg. Buch 11, Kap. 1, Teil II S. 296/97 (2. Fassg.
Buch 11, Kap. 4, Teil IV S. 46).

bleiben will, darf, ja muß diese verwerfen und verlassen. Aus diesem unzweifelhaft gegebenen, unmittelbar gefühlten religiösen Gebot ist im 'Agathon' eine philosophische Lehrmeinung, ein allgemeines Tugendideal geworden. Aber dieses sittliche Ideal ist nichts objektiv Vorhandenes, fraglos Gültiges mehr wie der Gott des Simplicissimus; es ist eine Überzeugung des Einzelnen, die dieser sich gegen Skrupel und Einwände erkämpft und rettet.

Und damit ist eine völlig neue Seelenlage geschaffen. An dem Zielbild, dem Parzivals Leben entgegenwuchs, hatte die Ordnung seines Gesellschaftskreises noch vollen Anteil. In sie eingebettet unterstand darum der Einzelne nicht minder der göttlichen Forderung, mochte auch zum höchsten religiösen Dienst der Pfad über diesen Gesellschaftskreis hinausführen. Den suchenden Abenteurer Grimmelshausens umfing keine schützende, Halt und Richtung gebende Lebensgemeinschaft mehr; Versuchung und Gefahr bedeutete der Eintritt in die Welt. Noch aber ruhte der Einzelne im Willen der Gottheit. Jetzt ist auch diese letzte Bindung zerrissen. Auch der religiöse Kosmos, und gerade der religiöse Kosmos, ist in der Zeitspanne, die Wielands Entwicklungsroman von seinem Vorgänger trennt, zerbrochen.

Die Verschiebung zum Subjektiven hin, die sich schon im 'Simplicissimus' anbahnte, ist erfolgt. In der Seele des Einzelnen liegt die Entscheidung; der individuelle Mensch selbst ist zum Ausgangspunkt geworden. Wir begreifen von hier aus, warum man den 'Agathon' den ersten deutschen Bildungsroman genannt hat: zum erstenmal ist Entwicklung nicht mehr Entwicklung zum gegebenen Ziel hin, nicht nur, den Weg zu diesem Ziel zu finden, mehr das Lebensproblem des Menschen, zum erstenmal ist vielmehr in die Auseinandersetzung des Einzelnen mit der Welt das Ziel selbst hineingezogen, von seiner Anerkennung abhängig geworden. Und so ist in vollem Umfang die Bildung des eigenen Lebens in die Hand des Einzelnen gelegt.

Der Mensch ist aus dem seelischen Verband gelöst, dem er fast anderthalb Jahrtausende zugehörte. Das Gesetz, das ihn bisher bestimmte, ist ihm zweifelhaft geworden. Ob er es beibehält oder verwirft, er selbst ist Richter geworden. Eine neue Aufgabe liegt damit vor dem Lebensweg des Einzelnen; einen neuen Sinn muß das Problem seiner Entwicklung von jetzt an gewinnen.

II. DARSTELLUNG

Der 'Agathon' bedeutet in seiner Problemstellung, in Zielsetzung und Weltbild seinen Vorgängern gegenüber etwas grundlegend Neues, und die Auffassung, die ihn als ersten deutschen „Bildungsroman" an den Beginn einer Reihe rückt, ist insofern berechtigt, ob auch über solcher Verschiedenheit die tiefe Verwandtschaft seines Gehalts mit dem der früheren Entwicklungsromane nicht übersehen werden darf. Aber noch ein anderes Moment hat an dieser Einordnung teil und hebt schon beim ersten Eindruck das Werk von den bisherigen Entwicklungsromanen ab. Die seelische Entfaltung des Helden war im 'Parzival' noch ganz in die Darstellung des Geschehnisverlaufs eingehüllt; im 'Simplicissimus' waren die ersten Ansätze einer unmittelbaren Schilderung des Innenlebens zu spüren. Jetzt ist der Prozeß vollendet, die psychologische Darstellung ist zum Siege gelangt. Der 'Agathon' steht völlig auf dem Boden der Seelenanalyse, zeichnet bis ins Kleinste die inneren Vorgänge und Verwicklungen nach.

Die veränderte Blickrichtung, in der diese Gestaltungsweise wurzelt, bezeugt schon die Selbstverständlichkeit, mit der der Begriff der Seelengeschichte in Wielands Roman gehandhabt wird. Die „Geschichte seiner Seele" will Agathon der Danae erzählen[1]), und derselbe Ausdruck kehrt in der dritten Fassung wieder, als von Agathons schriftlichem Bericht seiner Entwicklung für Archytas die Rede ist[2]). Auf diese „von Agathon selbst aufgesetzte geheime Geschichte seines Herzens" beruft sich denn auch der Verfasser als fingierte Quelle schließlich für sein Werk.

Daß Seelenanalyse das Ziel der Darstellung ist, kommt auch sonst unverhohlen zum Ausdruck. „Es ist hier um eine Seelen-

---

[1]) Buch 7, Kap. 2; Bd. 2, S. 12.
[2]) Buch 16. Kap. 1; Bd. 3, S. 361.

malerei zu tun", so rechtfertigt Wieland in einer später ge-
strichenen Stelle der ersten Fassung die Erörterung über griechische
Liebessitten[1]). Die Schilderung von Agathons Stimmung nach
seinem Sturz in Syracus in der dritten Fassung wird damit begründet, daß es ja die Absicht des Autors sei, „die Leser dieser
Geschichte nicht bloß mit den Begebenheiten und Taten unseres
Helden zu unterhalten, sondern ihnen auch von dem, was bei
den wichtigeren Abschnitten seines Lebens in seinem Inneren
vorging, alles mitzuteilen, was die Quellen, woraus wir schöpfen,
uns davon an die Hand geben"[2]).

Aufgedeckt ist uns nun das Gemüt des Menschen, und wir
können unmittelbar seine Regungen ablesen, die es vorher aus dem
farbigen Abglanz zu erschließen galt. Nirgends kommt dies reiner
zum Ausdruck als in der Behandlung der Jugendgeschichte. Die
Entwicklung des Knaben zum Jüngling schildern uns auch
Wolfram und Grimmelshausen, ja das dumpfe Werden und
Wachsen — bei dem einen in behüteter Stille, bei dem anderen
zerrissen durch jähe Wechsel — offenbart sich uns bei beiden
ungleich tiefer und voller als bei Wieland, wie denn ja überhaupt
der 'Agathon' künstlerisch nirgends an die bildhafte Kraft des
Grimmelshausen, gewiß nicht an das Dichtertum Wolframs heran-
reicht. Aber von den psychologischen Vorgängen dieser Entwicklung erfahren wir im 'Simplicissimus' ebenso wenig wie im
'Parzival'. Wieland als erster enthüllt den Prozeß dieses Übergangs. „Ich stand damals eben in dem Alter, worin wir, aus dem
langen Traume der Kindheit erwachend, uns selbst zuerst zu finden
glauben, die Welt um uns her mit erstaunten Augen betrachten
und neugierig sind, unsere eigene Natur und den Schauplatz,
worauf wir uns ohne unser Zutun versetzt sehn, kennen zu lernen"[3]).
Die unklaren Gefühle des zu sich selbst erwachenden Jünglings,
Entzücken über Natur und Schönheit, unbestimmtes Verlangen
und Träumen, unbegriffene Sehnsucht — all dies läßt Wieland
vor uns aufleben und sucht in solchen Zügen Wesen und Besonderheit dieses Stadiums inneren Reifens zu erhellen. Wenn wir dabei
ein Motiv des 'Parzival': die Wirkung des Vogelsangs auf den
Heranwachsenden, wiederkehren sehen, so ist es besonders auf-

---

[1]) 1. Fassg. Buch 8, Kap. 7, Teil II S. 79/80.
[2]) Buch 12, Kap. 9; Bd. 3, S. 127.
[3]) Buch 7, Kap. 2; Bd. 2 S. 10.

schlußreich, die Verschiedenheit der Schilderung zu beachten.
„erne kunde niht gesorgen, / ez enwaere ob im der vogelsanc, / die
süeze in sîn herze dranc: / das erstracte im sîniu brüstelîn. / al
weinde er lief zer künegîn", heißt es bei Wolfram[1]). Auch Wieland
gibt keine unmittelbare Deutung des Eindrucks; das Unbewußte,
Dumpfe des jungen Menschen, das Unverstehen der eigenen
Empfindungen hebt er gerade dadurch fein heraus. „Der Gesang
der Vögel schien mir etwas zu sagen, das er mir nie gesagt hatte,
ohne daß ich wußte, was es war"[2]). Aber diese Verhüllung dient
nur den Zwecken der Charakteristik; dem rückschauenden Betrachter — in diesem Fall der gereifte Held selbst — ist gleichwohl auch dieser Seelenvorgang geöffnet, und durch den Zusammenhang, in den er ihn stellt, legt er seine Fäden bloß. Wolfram berichtet nur das Erlebnis, Wieland gibt den Schlüssel zu seiner
Deutung[3]).

---

[1]) Parz. Buch III, 118, 14—18.

[2]) Buch 7, Kap. 4; Bd. 2 S. 26.

[3]) Daß Wieland mit Wolframs Werk vertraut war, ist bei der
intensiven Beschäftigung Bodmers mit dem 'Parzival' gerade während
der Jahre von Wielands Züricher Aufenthalt nicht zu bezweifeln (1753
erschien: Bodmer, Der Parzival ein Gedicht in Wolframs von Eschil-
bach Denckart, Eines Poeten aus den Zeiten Kaiser Heinrich VI. Zürich;
auch in: Bodmer, Calliope Bd. 2, Zürich 1767, S. 34 — eine Umdichtung
eines Teils des Wolframschen Werkes in Hexametern, die in der Haupt-
sache die Gralshandlung in großen Zügen, also größtenteils den Inhalt
des V., IX., XV. XVI. Buches, wiedergibt; 1754 im Anhang zu Bodmers
'Gedichten in gereimten Versen', 2. Aufl. Zürich, S. 133—141, der
'Brief an Aristus', der unter Berufung auf den Druck des 'Parzival'
von 1477 das Werk eingehender bespricht. Die Jugendgeschichte ist
auch hier nicht näher behandelt. Auch das Vorwort zu dem Druck des
'Parzival' in der Myllerschen Sammlung — Sammlg. deutscher Ged.
aus d. 12., 13., 14. Jhdt. Bd. 1, Berlin 1784 — geht auf die Motive der
Jugendgeschichte nicht näher ein). Am 22. Okt. 1753 schreibt J. C. Hess
an Bodmer: „Er [Wieland] hat sonst eine Abhandlung vom Parzifal
gemacht, die aber nicht genug ausgeführt ist . . ." (Ludwig Hirzel, Wieland
und Martin und Regula Künzli. Ungedr. Briefe u. Aktenstücke. Leipzig
1891, S. 71, Anm. 1). Eine derartige Abhandlung ist nicht erhalten
und auch sonst nicht näher bezeugt (vgl. Seuffert, Prolegomena zu einer
Wieland-Ausgabe, Bd. II 1904, S. 40, Nr. 59). — Daß das Motiv des
Vogelsangs im 'Agathon' durch Wolfram angeregt worden ist, wäre
denkbar, ebensowohl aber kann es aus eigenem Erlebnis geschöpft sein.
Der Eindruck des Vogelsangs soll bei Wieland, wie der Zusammenhang
zeigt, die allgemeine Seelenlage der Übergangsjahre zum Ausdruck

Wohl kennt auch der 'Agathon' Zusammenstöße des äußeren
Geschehens, Überraschungen und Verwicklungen, ja, gemessen
an dem Streben nach Schlichtheit der Fabel, das mit dem englischen bürgerlichen Roman einsetzt, enthält er bisweilen sogar
abenteuerliche Züge, die auf die Robinsonaden zurückweisen,
wie etwa die Verwendung des Seeräubermotivs[1]). Aber das eigentliche Interesse des Autors gilt dem was sich im Innern des Helden
abspielt.   Jede Überlegung, jedes Schwanken, den Wechsel der
Empfindungen, die Konflikte, die Agathon an den Wendepunkten
seiner Bahn durchmacht, lernen wir kennen.   Bezeichnender
noch für den Charakter des Werks als diese eingehenden Zustandsschilderungen ist die Nachzeichnung des Entwicklungs-
verlaufs selbst.   Wenn der 'Simplicissimus' hier und da einmal
auf die Bedeutung eines Erlebnisses für den Zusammenhang
hinwies, so ist der 'Agathon' bis zum Überdruß getränkt mit
Rückblicken.

Freilich, so selbstverständlich Wieland die psychologische
Darstellungsweise handhabt, so spüren wir doch manchmal eine
leise Unsicherheit, ein Bedürfnis, die Beschäftigung mit dem
Innenleben des Helden zu rechtfertigen, das uns daran erinnert,
wie jung diese Richtung auf epischem Gebiet noch ist.   So, wenn

---

bringen. ,,Ich sah die mannigfaltigen Szenen der Natur wie mit neuen
Augen an; ihre Schönheiten hatten für mich etwas Herzrührendes,
welches ich sonst nie auf diese Art empfunden hatte ... Die neu belaubten
Wälder schienen mich einzuladen, in ihren Schatten einer wollüstigen
Schwermut nachzuhängen, von welcher ich oft mitten in den erhabensten
Betrachtungen wider meinen Willen überwältigt wurde. Nach und nach
verfiel ich in eine weichliche Untätigkeit" (Buch 7, Kap. 4).   Diese
Stimmung ist in jedem Fall von der des jungen Parzival durchaus
verschieden, gleichviel ob man bei Wolfram in dem Motiv des Vogel-
sangs mit Uhland nur die Erweckung der angeborenen ritterlichen
Tatenlust sehen will (vgl. auch Singer a. a. O., der den provenzalischen
Ursprung dieses Zuges betont und ihn von Wolfram dem Kiot ohne
Verständnis genau nachgebildet glaubt) oder auch bei ihm etwas von den
unklaren Sehnsuchtsgefühlen der erwachenden Jünglingsjahre darin
bewußt oder unbewußt mitschwingen glaubt.

[1]) Wenn Wieland sich im ersten Buch ironisch gegen die Verwendung der in den Abenteuerromanen beliebten Seestürme und Schiff-
brüche wendet (Buch I, Kap. 7), so macht er gleichwohl im 13. Buch,
wenn auch nicht ohne Selbstironie, von diesem Motiv Gebrauch. (Buch
XIII, Kap. 3.)

die Wiedergabe von Agathons Gedanken nach der Begegnung mit Psyche mit der Berufung auf ein Tagebuch des Helden verteidigt wird. „Dieser Umstand macht begreiflich, wie der Geschichtsschreiber wissen konnte, was Agathon bei dieser und anderen Gelegenheiten mit sich selbst gesprochen[1]).‟ Das Nachwirken älterer Technik, die aus anderer Blickeinstellung geboren war, ist spürbar, wenn Wieland das Selbstgespräch — im mittelalterlichen Epos fast das einzige Mittel der Gefühls- und Gedankenwiedergabe, jetzt aber, inmitten feinster Seelenanalyse, im Grunde überflüssig geworden — noch unverhältnismäßig häufig verwendet.

Auch ist die psychologische Beobachtung keineswegs an allen Stellen des Werks rein der epischen Gestaltung dienstbar. Oft genug noch werden wir an die Rolle gemahnt, die wir der moralischen Reflexion bei der Entstehung der psychologischen Erzählung zusprechen mußten. Besonders in den ersten Fassungen treten allgemeine Betrachtungen, die mit dem Gang der Erzählung nur lose verknüpft sind, nicht selten auf. Wieland selbst tadelt im Vorbericht von 1794 an der älteren Gestalt des Werkes „die auffallende Bestrebung, die Lücken im psychologischen Gang der Geschichte mit Raisonnement auszustopfen oder zu überkleistern,‟[2]) und hat bei der Umarbeitung solche Stellen nach Möglichkeit beseitigt. An den künstlerischen Mängeln des Romans hat neben andern auch dieser reflektive Zug starken Anteil.

Derartige allgemeine Betrachtungen sind aber in der psychologischen Behandlung des 'Agathon' nur gelegentliche ungelöste Restbestände, die das Gesamtbild nicht verwischen dürfen. Nicht in lehrhaftem Raisonement wurzelt die Seelendarstellung des Werkes. Vielmehr kommt es Wieland in erster Linie darauf an, die Verknüpfung der inneren Vorgänge überall klarzulegen, die Handlungen auf ihre seelischen Motive zurückzuführen, den Wirkungen der Ereignisse auf das Gemüt des Helden nachzugehen, mit einem Wort: aus einer möglichst lückenlosen Kausalkette sich den Werdegang Agathons aufbauen zu lassen: „es ist darum zu tun, daß uns das Innerste seiner Seele aufgeschlossen werde; daß wir die geheimen Bewegungen seines Herzens, die verborgenen

---

[1]) Buch I, Kap. 6; Bd. 1, S. 51.
[2]) Vorbericht zu der Ausgabe der sämtlichen Werke vom Jahre 1794.

Triebfedern seiner Handlungen kennen lernen"[1]). Diese Absicht bestimmt die ausführliche Zergliederung aller Konflikte und Entschlüsse des Helden, sie ist der Grund, warum Wieland fast jedem wichtigen Erlebnis Agathons eine eingehende Erörterung über Anlaß und Zusammenhang folgen läßt.

Wenn irgendwo, so zeigt sich gerade in diesem Zug Wieland als Kind seiner Zeit. Der Einfluß der zeitgenössischen Philosophie auf seine psychologischen Anschauungen ist besonders deutlich erkennbar an dem Anteil, den er physischen Ursachen an den seelischen Erscheinungen zugesteht[2]). Auch seine Auffassung von der Bedeutung der Umstände und des Milieu für die Entwicklung des Menschen, die wir schon zu erwähnen hatten, weist in diesen Zusammenhang.

Der Geist der Aufklärung, der Einfluß der naturwissenschaftlichen Erkenntnisse auf die Betrachtung des Seelenlebens wirkt sich in diesen Eigenheiten der Darstellung aus. Aber noch eine andere und anders verwurzelte Geistesrichtung hatte zu dem Erstarken des psychologischen Moments beigetragen, und auch sie hat Wielands Entwicklungsroman prägen geholfen. Die religiöse Selbstbeobachtung, die im Pietismus zu höchster Entfaltung kam, war Wieland ja in seiner Jugend vertraut und gewohnt gewesen, und wenn auch sein Roman nach Anlage und Gattung nichts wesentliches von der pietistischen Autobiographie übernommen hat, so ist doch die Blickrichtung, die seiner Formung zugrundeliegt, auch von jenen Strömungen mitbestimmt worden. Wie die Bloßlegung innerer Zusammenhänge, die Deutung der Vorgänge, der wir im 'Simplicissimus' gelegentlich begegneten, im 'Agathon' die ganze Darstellung beherrscht, so ist auch die Selbstbeschauung, zu der dort der Einsiedler den Simplex auffordert, in Wielands Roman zum grundlegenden Element geworden. Wozu der Einsiedler mahnte, das ist bei Agathon von vornherein als eine Art Charakterzug vorhanden; nicht erst nach Verfehlungen und Ent-

---

[1]) 1. Fassg. Buch 8, Kap. 7 Teil II S. 80.
[2]) So Buch 10, Kap. 3: „Aber darin irrte er sehr, daß er, gewohnt, die Seele und was in ihr vorgeht, allzusehr von der Maschine, in welche sie eingeflochten ist, abzusondern, nicht gewahr wurde, daß die guten Dispositionen des Dionysius ganz allein von einem körperlichen Ekel vor den Gegenständen, worin er bisher sein einziges Vergnügen gesucht hatte, herrührten."

täuschungen, sondern von Kindheit an unterzieht er seine seelischen Erlebnisse eingehender Untersuchung[1]). An allen entscheidenden Wendepunkten seines Lebens blickt er zurück, sucht
er sich über seinen bisherigen Werdegang klar zu werden, sich von
jeder Wandlung seiner Gefühle Rechenschaft abzulegen. Und wenn
es Momente gibt, da Wieland die vielen Selbstgespräche seines
Helden verteidigen zu müssen meint[2]), so doch noch mehr, wo
er dessen Beschäftigung mit seinem Innenleben als besonderen
Vorzug rühmt. „Er hatte während seiner Überfahrt nach Sicilien . . .
Zeit genug, Betrachtungen über das, was zu Smyrna mit ihm vorgegangen war, anzustellen. „Wie?" rufen hier einige Leser, „schon
wieder Betrachtungen?" Allerdings; in seiner Lage würde es
ihm nicht zu vergeben gewesen sein, wenn er keine angestellt
hätte. Desto schlimmer für euch, wenn ihr bei gewissen Gelegenheiten nicht so gerne mit euch selbst redet als Agathon!"[3]) Aber
noch mehr: nicht nur natürlich und lobenswert ist Wieland die
Selbstbeobachtung seines Helden, er bedarf für ihn geradezu der
Entschuldigung, wenn er sich der eigenen Gefühle einmal nicht
sogleich bewußt wird. „Was Wunder also, daß er in den ersten
Stunden nichts als anschauen und bewundern konnte, und daß
seine entzückte Seele noch keine Zeit hatte, auf dasjenige Acht
zu geben, was in ihr vorging?"[4])

Wohl sind spätere Entwicklungsromane in Verfeinerung und
Vertiefung der Seelenanalyse über den 'Agathon' hinausgegangen,
hat die Selbstbespiegelung, hat vor allem auf der Basis natur-
wissenschaftlicher Einsichten die Zergliederung des psychologischen Zusammenhangs noch eine Steigerung erfahren. Der
entscheidende Schritt ist gleichwohl hier erfolgt, der psychologische
Entwicklungsroman ist geschaffen.

Die Aufgabe ist für den Dichter des 18. Jahrhunderts die
gleiche, die sich der Dichter des 12. Jahrhunderts stellte: Ent-

---

[1]) Siehe z. B. Buch 4, Kap. 7; Bd. 1, S. 212 „Agathon selbst, der
sich von seiner ersten Jugend an eine Beschäftigung daraus gemacht
hatte, den geheimen Triebfedern seiner innerlichen Bewegungen nach-
zuspüren . . ." oder: 3. Fassg. Buch 12 Kap. 9; Bd. 3 S. 128.
[2]) So Buch 2, Kap. 6; Bd. 1 S. 101.
[3]) Buch 9, Kap. 7; Bd. 2, S. 218.
[4]) Buch 4, Kap. 7; Bd. 1 S. 211.

faltung des Menschen an und mit der Berührung durch die Welt; die Art ihrer Bewältigung ist eine andere geworden. Das ist nicht etwa nur ein Unterschied der Technik, nicht eine Zunahme des Könnens, wie man vielfach geneigt ist anzunehmen. Eine völlige Wandlung der Sinnesrichtung, eine durchaus verschiedene Stellung zur Welt, zu allem Erleben liegt dieser Veränderung zugrunde, und was nur ein größeres oder geringeres Beherrschen künstlerischer Mittel scheint, führt in Wahrheit in die Tiefen eines geistes-geschichtlichen Prozesses hinein.

Das erwachende Interesse am Werden des Einzelnen kündet zwar der Entwicklungsroman schon bei seinem ersten Auftreten. Das Problem, wie der Mensch in die Welt hineinwächst, bedingt als solches ein Gefühl für seelische Wandlungen, für den inneren Reifevorgang. Aber der Blick wendet sich darum noch nicht von dem Bilde der sichtbaren Welt hinweg, der Einzelne, dessen Wachs-tum verfolgt wird, wird inmitten dieser Welt gesehen, sein Ver-halten zu ihr sagt über ihn aus. Er selbst wird als körperliche Ge-stalt ergriffen; geben doch Gebärde, Gesichtsausdruck, Haltung, Äußerung Seelisches wieder. Noch steht die Welt im Mittelpunkt: von ihr aus ist die Entwicklung des Individuums geschaut. Die Verschiebung, die wir bei der Problemstellung zu beobachten hatten, die allmähliche Verlegung des Ausgangspunktes von der Welt auf das Ich, äußert sich auch in einer veränderten Betrachtungsart. Je mehr sich die Aufmerksamkeit auf das Ich richtet, umsomehr wendet sich der Blick nach innen. Ein neuer Sinn öffnet sich, in der eigenen Brust spielt sich ein Prozeß ab, den es zu belauschen gilt, und die Außenwelt, einst der einzige Schauplatz auch für die Vorgänge der Seele, ist nur noch der Anlaß, um diesen inneren Prozeß zur Entfaltung zu bringen.

Der Entwicklungsroman hat sich damit jenes Gebietes be-mächtigt, das wir schon früh von der religiösen Selbstbiographie betreten fanden. Der Ablauf der Seelenwandlungen in der Brust des Einzelnen ist in den Vordergrund getreten, und die zunehmende Hinwendung auch der weltlichen Erzählung zur Behandlung des Innenlebens, die die Geschichte des Romans im 17. und 18. Jahr-hundert ausmacht, findet in der Entstehung des psychologischen Entwicklungsromans ihren bedeutsamsten Ausdruck.

3. KAPITEL

DIE AUSWIRKUNG DES 'AGATHON'

Der 'Agathon' war nicht wie der 'Parzival', der 'Simplicissimus' in eine vorhandene Form gefüllt worden. Verschmelzung der verschiedensten Erzählungstypen, ob auch äußerlich dem historischen Staatsroman am ähnlichsten, ist er selbst doch ein völlig neues: psychologischer Entwicklungsroman. Psychologische Elemente in geringerem oder größerem Grade enthielt der Roman bereits vor Wieland, neu aber ist die psychologische Darstellung einer Gesamtentwicklung als Kernproblem.

Dementsprechend ist auch seine Nachwirkung eine durchaus andersartige als die der früheren Entwicklungsromane. Zum ersten Mal gewinnt der Gehalt als solcher, das Motiv der Entfaltung des Menschen, unmittelbare Bedeutung. Die Nachkommen des 'Parzival' sind Ritterepen, des 'Simplicissimus' die „Simpliciaden". Der 'Agathon' ist der Vorgänger des 'Wllhelm Meister'.

Mochte auch die Tageskritik zunächst an dem Kern des 'Agathon' vorübergehen[1]), so wurde er doch bald als das begriffen, was er war: als Begründer eines neuen, bedeutsamen Romantypus. Blankenburgs 'Versuch über den Roman'[2]) enthält bereits das volle Verständnis gerade für die Bedeutung des Werkes als psychologischen Entwicklungsromans[3]). Und wir fühlen, daß eine

---

[1]) Vgl. z. B. die Rezensionen in der Dtsch. Bibl. d. schön. Wissenschaften (Bd. I, Halle 1768, 3 Stück S. 11), der Allgem. Dtsch. Bibl. (Bd. IV, Berlin u. Stettin 1768, 1 Stck., S. 190).

[2]) Leipzig und Liegnitz 1774.

[3]) Riemanns Ansicht (Goethes Romantechnik, Leipzig 1902, Kap. 2. § 11, 1, S. 193), daß Blankenburg den Entwicklungsweg noch einseitig moralisch auffasse, scheint mir nicht zutreffend. Der Ausdruck „das ganze jetzige moralische Seyn des Agathon" (Blankenburg a. a. O. S. 10), den R. insbesondere zum Beleg dafür heranzieht, ist nach dem Sprachgebrauch der Zeit nicht im sittlichen Sinne zu verstehen.

veränderte Gesamtlage geschaffen ist, wenn Blankenburg eben d i e
Eigenheiten, die dem 'Agathon' diesen Charakter verleihen, als
Wesen des echten Romans ansieht und künftighin als Grund-
voraussetzung für den Romanschriftsteller fordert. „Wenn wir
den Agathon untersuchen, so findet es sich sogleich, daß der Punkt,
unter welchem alle Begebenheiten desselben vereinigt sind, kein
anderer ist, als das ganze jetzige moralische Seyn des Agathon,
seine jetzige Denkungsart und Sitten, die durch alle diese Begebenheiten gebildet, gleichsam das Resultat, die Wirkung aller
derselben sind, so daß diese Schrift ein vollkommenes dichterisches
Ganzes, eine Kette von Ursach und Wirkung ausmacht"[1]). „Der
bessere Romandichter hat andre und muß andre Absichten mit
seinen Personen haben, als die bloße Bestimmung ihres ä u ß e r e n
Geschicks. Die Ausbildung, oder vielmehr die Geschichte ihrer
Denkungs- und Empfindungskräfte ist sein Zweck"[2]).

Das Problem der Entwicklung des Individuums — bisher
einmaliges Erlebnis eines Überragenden, mochte es auch unbewußt
in manchen oder selbst vielen bereits keimen und nur in ihm sich
zu künstlerischer Sicht und Ausdruck verdichten — ist für eine
Gesamtheit erregend und zur bewußten Frage geworden. Nicht
mehr seltene Geburt, verborgen in fremder Gewandung, stellt der
Entwicklungsroman vielmehr von jetzt an eine eigene Gattung
dar. Freilich, die Gestalt, die ihm Wieland gegeben hat, ist noch
ein tastender Versuch, angelehnt an Früheres, Fremdes, und vor
allem auch künstlerisch kein Gebilde, das sich nur entfernt mit
seinen Vorgängern messen dürfte. Aber ob auch selbst noch un-
zulänglich, ist Wielands Roman doch bereits die unmittelbare
Vorstufe für eine vollkommenere Schöpfung, hat die Erzählungsform gefunden, die das Bedürfnis der Zeit brauchte.

---

[1]) a. a. O. S. 10.
[2]) a. a. O. S. 395.

IV. TEIL

GOETHES 'WILHELM MEISTER' UND DER MODERNE BILDUNGSROMAN

I. KAPITEL

DER ROMAN DES STURM - UND - DRANG

Den Voraussetzungen des Entwicklungsromans, der Besonderheit seiner Problematik war der Charakter der erzählenden Literatur in Deutschland bis in die Anfänge des 18. Jahrhunderts hinein wenig günstig und verwandt gewesen, und nur vereinzelt, sogleich wieder verschwindend, hatten wir in den früheren Epochen ihn am Wege des Romans auftauchen sehen. Doch die so lange getrennten Linien laufen endlich aufeinander zu, der 'Agathon' bezeichnet den Punkt ihres Zusammenfließens. War der Entwicklungsroman bisher ein Fremdling im allgemeinen Schrifttum gewesen, so drängt nun seit der Mitte des Jahrhunderts die Geschichte des Romans geradezu auf ihn hin.

Das Erscheinen des 'Agathon' bedeutet nicht etwa das Aufhören vorher gültiger Einflüsse und Gewöhnungen. Auch weiterhin noch bewegt sich ein breiter Strom der Romanliteratur in der Richtung die die englischen Vorbilder gewiesen hatten. Ob auch durchsetzt von seelischer Betrachtung und Zergliederung, sei es nach der Art Sternes oder Fieldings, sind doch die biographischen Erzählungen der Hippel, Wetzel, Nicolai weit entfernt von der Gestaltung eines inneren Entfaltungsprozesses, der den Einzelnen zur Durchdringung der Welt führte. Ebenso wenig hat der 'Agathon' eine unmittelbare Nachfolge geschaffen. Erst 'Wilhelm Meister' wird zum Muster einer Tradition. Aber mit Wielands Werk setzt jene Periode des Entwicklungsromans ein, da er das befähigte Instrument wird, um der tiefsten Problematik des zeitgenössischen Menschen Stimme zu leihen.

Ließ schon die Geschichte des Romans in der ersten Hälfte des achtzehnten Jahrhunderts diese Zusammenhänge erkennen, so legen die Jahrzehnte nach dem Erscheinen des 'Agathon' vollends die Fäden bloß. In doppelter Hinsicht sehen wir für den Entwicklungsroman jetzt mehr und mehr den Boden bereitet. Auf der einen Seite schuf die zunehmende Beschäftigung mit dem eigenen Innenleben, wie der 'Agathon' bezeugte, eine neue Grundlage für die Beobachtung menschlicher Entwicklung. Die eigentlich religiöse Autobiographie freilich, die die Selbstanalyse am frühesten und feinsten ausgebildet hatte, bleibt auch weiterhin wie bisher außerhalb des Bereichs unserer Untersuchung. Denn so wenig wie einst die Bekenntnisse Seuses oder später die Lebensbeschreibungen eines Andreä oder Francke hat auch in den siebziger und achtziger Jahren noch die Geschichte Jung-Stillings mit den Grundtendenzen des Entwicklungsromans Gemeinschaft. Nicht der Wille, sich der Welt einzufügen, mit ihren inneren Ansprüchen, Gegebenheiten, Hemmungen zu ringen und den Ausgleich mit ihr zu finden, leitet Stilling. Von vornherein ist sie ihm fremd, nur tatsächlich mit ihr fertig zu werden gilt es. Ziel und Richte des eigenen Lebens liegen abseits von der allgemeinen Wirklichkeit, ob auch der Weg äußerlich in sie hinein und sogar zur Gewinnung ihrer Ehren und Genüsse hinaufführt; jede seelische Auseinandersetzung mit ihr fehlt. Erst bei Goethes „Schöner Seele" mündet die pietistische Autobiographie in gewissem Sinne in den Entwicklungsroman, wird zum Problem der Weltdurchdringung und -bezwingung. Wohl aber wird die Methode derartiger Seelenbetrachtung allmählich auch über den engeren Rahmen der religiös gesehenen Lebensentwicklung hinaus allgemein für die Darstellung des menschlichen Werdeprozesses fruchtbar, wie das am deutlichsten im 'Anton Reiser' zutage tritt. Man hat den 'Anton Reiser' zuweilen als unmittelbares Glied der Geschichte des Entwicklungsromans in Anspruch nehmen wollen[1]). Ihn als solches zu werten hindert uns schon seine fragmentarische Gestalt. Nur mit der Exposition eines Entwicklungsromans könnten wir es hier zu tun haben. Wieweit die Fortsetzung dem ruhelosen Lebensweg Reisers einen Halt gesetzt, seinen Zusammenstößen mit dem Dasein eine Lösung bereitet hätte, ob derartiges dem Verfasser bei der Konzeption vorschwebte, läßt sich aus dem Bruchstück nicht erschließen. Auch wenn wir den 'Anton Reiser' nicht als eigentliche

---

[1]) So noch kürzlich Kurt Hoffmann, K. P. Moritz' 'Anton Reiser' u. s. Bedeutg. in der Gesch. d. dtsch. Bildungsromans, Schles. Jahrbücher f. Geistes- und Naturwissenschaften Jg. 2, Nr. 4 S. 243.

Autobiographie, sondern als künstlerische Komposition ansehen[1]) und insofern im Zusammenhang unserer Untersuchung berühren, so sind doch in dem Vorhandenen nur bestimmte Kurven in dem Werdegang Reisers[2]), nicht aber die Richtung, in der seine gesamte Entwicklung verlaufen sollte, erkennbar.

Aber auch in der eigentlich weltlichen Autobiographie macht sich in zunehmendem Maße die neue Wertung des Innenlebens bemerkbar, läßt auch in ihr den Bericht des sichtbaren Lebensganges zurücktreten gegenüber der Zergliederung des seelischen Prozesses. Das große Beispiel dieser neuen Art der Selbstdarstellung, Rousseaus 'Confessions', mußte bei seiner entscheidenden Wirkung auf die deutsche Literatur mittelbar auch für den Entwicklungsroman ein Wegbereiter sein.

So günstig aber die Verschiebung des Schwerpunkts auf das Seelenleben des Einzelnen auch für die Bedingungen des Entwicklungsromans ist, noch ausschlaggebender für die Möglichkeiten seiner vollen Entfaltung ist ein anderes Moment. Der Augenblick ist gekommen, da die Frage, die schlechthin die Voraussetzung für den Entwicklungsroman bildet, die Frage nach dem Verhältnis des Einzelnen zur Welt, in den Brennpunkt des allgemeinen Interesses rückt. Der 'Agathon' entließ uns mit dem Zweifel an der Gültigkeit der letzten bisher geglaubten Normen, mochte auch dieser Zweifel noch durch einen verdeckenden Kompromiß in ihm beschwichtigt sein. Wir können nicht erstaunen, daß auf dieser Basis, daß nach der Zerstörungsarbeit der Aufklärung das Problem der Stellung des Individuums inmitten der Gesamtheit alle Gemüter beschäftigt, daß die jungen Dichter der siebziger und achtziger Jahre, die mit neuem Wollen das Leben ergreifen, in immer anderen Formen mit diesem Problem ringen. Steht doch dem Menschen keine gültige Ordnung mehr, sondern lediglich eine tatsächliche Wirklichkeit gegenüber, an die ihn die Fäden des Glaubens nicht mehr binden. Wie kann es anders sein, als daß er sich zum Kampfe herausgefordert fühlt, zum Widerstand gegen einen nicht von ihm

---

[1]) Über die Frage, wieweit der 'Anton Reiser' als bloße Autobiographie oder als Kunstwerk zu werten ist, vgl. u. a. Hugo Eybisch, Anton Reiser, Probefahrten Bd. 14, Leipzig 1909; Fritz Brüggemann, Die Ironie als entwicklungsgeschichtl. Moment, Jena 1909.

[2]) Die Art dieser Kurven hat Brüggemann a. a. O. Teil IV, S. 139ff. im einzelnen analysiert.

anerkannten Zwang oder zum bohrenden Grübeln nach dem Sinn einer Ordnung, die ihm kein Organismus mehr ist. „Wir, die wir den Glauben . . . den Heilbalsam der heutigen Philosophie, weder brauchen wollten noch konnten, wir mußten, nach völliger Anerkennung der allgewaltigen Notwendigkeit, unsre verwickelten Darstellungen endlich und zu allerletzt auf die Fragen zurückführen: Warum? Wozu? Wofür? Wohin?", so spricht Klinger diese Nötigung in der Vorrede zu seinen Romanen[1]) aus, als deren gemeinsames Thema sie ihm erscheint. Sie ist mehr oder weniger das Thema aller Romane des Sturm-und-Drang[2]), in wie mannigfachen Formen es bei den verschiedenen Dichtern auch auftreten mag. Ob der Einzelne in übermütigem Jubel die Hemmungen der Sitte, die ihm nur noch Konvention sind, beiseite schiebt, nur seine Leidenschaften und Wünsche anerkennt, wie Ardinghello, ob wie bei Klingers Helden edles Streben und Wollen von der ungerechten Umwelt erdrückt wird oder selbst zum Unrecht umschlägt, oder ob wie Tiecks Lovell der Mensch an der Wirrnis und Zersetzung aller Maßstäbe zugrunde geht — immer ist es derselbe Ausgangspunkt: die Auseinandersetzung des Individuums mit der Welt.

Es ist die nämliche Voraussetzung, aus der auch der Entwicklungsroman entspringt. Aber freilich, nur die Voraussetzung ist die gleiche; Weg und Ziel sind völlig anderer Art. Das Thema aller Sturm-und-Drang-Romane ist gewaltsamer Zusammenstoß mit der Welt. Ob der Ausgang tragisch ist oder sich in phantastischer Utopie über das wirkliche Leben hinwegsetzt wie in Heinses Roman, ob der Held siegt oder unterliegt, immer schließen diese Werke mit der Dissonanz. Kein Hineinfinden in die Welt wird versucht, es bleibt der unlösbare Konflikt. Der Entwicklungsroman will aber gerade das Hineinwachsen des Einzelnen in die Gemeinschaft. Nur wo solcher Wille vorhanden ist, entsteht ein Entwicklungsroman, nur wenn über das Ziel dieses Weges, es sei, wie es wolle, Klarheit gewonnen ist, kann er vollendet werden.

---

[1]) Sämtliche Werke. Stuttgart u. Tübingen 1842, Bd. 3 S. V/VI.

[2]) Der Begriff „Sturm-und-Drang" ist hier im weitesten Sinn genommen. Die Frage, wieweit dabei Elemente der Aufklärung noch wirksam sind, wieweit es sich um speziell der Sturm-und-Drangbewegung eigenes handelt, erörtert eingehend Korff, 'Geist der Goethezeit'. Teil I, Kap. 5, 1 (S. 198ff.).

Es ist bezeichnend für das Gären und Suchen der Jahrzehnte zwischen dem ersten Erscheinen des 'Agathon' und dem der 'Lehrjahre', daß sie mehrere Ansätze zu Entwicklungsromanen hervorgebracht haben, die nicht abgeschlossen wurden. Als einen solchen Ansatz kann man den 'Anton Reiser' betrachten, falls man annimmt, daß der Wunsch, seinen Helden schließlich zum endgültigen Einverständnis mit der Umwelt gelangen zu lassen, in Moritz wirksam war. Ob auch nicht im engeren Sinne ein Erzeugnis des Sturm - und - Drang, sondern ganz aus der psychologischen Selbstzergliederung erwachsen, birgt doch dies Werk die gleichen seelischen Voraussetzungen wie die Romane der Stürmer - und - Dränger: den Widerstand gegen eine unbefriedigende Wirklichkeit, den Wunsch ihr zu entfliehen, ihre Grenzen zu durchbrechen, und die Zusammenstöße mit der gleichwohl mächtigen Gegnerin. Die Form, in der dies Ringen sich hier auswirkt: die Sehnsucht jugendlicher Begeisterung nach Kunst und Theater und die Enttäuschung durch die Realität, ist umso interessanter weil das gleiche Symbol für verwandtes Erleben in Goethes 'Theatralischer Sendung' uns begegnet[1]).

Eindeutiger tritt uns die Anlage als Entwicklungsroman in dem Torso von Jean Pauls 'Unsichtbarer Loge' entgegen. Das

---

[1]) In der Verwandtschaft der einstigen Seelenlage, der Stellung zur Umwelt finden wir wohl die Erklärung für Goethes italienische Äußerungen über Moritz. „Moritz ... erzählte mir ... Stücke aus Seinem Leben und ich erstaunte über die Ähnlichkeit mit dem Meinigen. Er ist wie ein jüngerer Bruder von mir, von derselben Art, nur da vom Schicksal verwahrlost und beschädigt, wo ich begünstigt und vorgezogen bin. Das machte mir einen sonderbaren Rückblick in mich selbst." (Rom, 14. Dez. 1786 an F. v. St.) „Moritz wird mir wie ein Spiegel vorgehalten" (20. Jan. 87 an F. v. St.) Wenn Eybisch (a. a. O. 5. Kap. S. 145f.) betont, daß man diesen momentanen brieflichen, durch die Rücksicht auf die Adressatin gefärbten Äußerungen Goethes nicht zu viel Gewicht beilegen dürfe, so ist dem durchaus beizustimmen. Aber ich möchte doch nicht so sehr mit Eybisch in der Ähnlichkeit der augenblicklichen Situation die Ursache des Vergleiches sehen als vielmehr in jener bezeichneten Verwandtschaft der Entwicklungslinie und seelischen Problematik. Erinnern wir uns, daß Goethe in diesen Briefen Frau v. Stein auch die Lektüre des 'Anton Reiser' empfiehlt: „Das Buch ist mir in vielem Sinne wert" (23. Dez. 86), so gewinnt die Parallele für unseren Zusammenhang an Bedeutung. Vgl. auch Goethes Brief vom 7.—10. Febr. 87 (undatiert. Weim. Ausg. Nr. 2573) an Frau v. St. (s. unten Kap. 2, II S. 152).

alte Motiv des weltfremden Heranwachsens klingt auf, wenn der Knabe in unterirdischer Höhle des achte Jahr erwarten muß, ehe er die Herrlichkeit der Welt schaut — aber in welcher fast grotesken und doch erschütternd gewaltigen Steigerung! Nicht nur der Problematik einer bestimmten Gesellschaftsordnung oder einer unsittlichen Lebensform soll der Einzelne unberührt entgegentreten, auch die naturgegebene Welt wird in diese Problematik einbezogen, das ganze Dasein wird zum Unbegriffenen, dem sich der Mensch gegenüber sieht. Aber so machtvoll der Akkord ist, mit dem das Thema der Entwicklung hier anhebt, so verwirrt sich nicht nur die Melodie bald im Fortgang der Erzählung, sondern bricht auch jäh ab, ohne uns den Ausklang ahnen zu lassen. Es bleibt auch hier bei dem Erlebnis des Konfliktes, bei dem Wunsch einer Lösung, ohne daß eine Form für sie gefunden wäre.

Den Weg vom tragischen Kampf mit der Welt bis zu dem Versuch, zur Vereinigung mit ihr zu gelangen, sehen wir in der dichterischen Entwicklung dieser Jahrzehnte angedeutet. Aber was sich hier uns nur in Ansätzen zeigt, das tritt zugleich in eine einzige Dichterpersönlichkeit zusammengedrängt noch einmal in voller Klarheit hervor. Der erste und der endgültige Ausdruck für den tragischen Kampf des Einzelnen gegen eine leer und starr gewordene Welt war Goethes 'Werther' gewesen. Die Wandlung vom titanischen Widerstand gegen die Umwelt zum mühevollen Ringen um die Einfügung in ihre Notwendigkeiten, die sich ebenso innerhalb des Goetheschen Lebens selbst wie in dem Geistesleben der Epoche vollzog, führt vom 'Werther' zu 'Wilhelm Meisters Theatralischer Sendung'. Die 'Theatralische Sendung' ist ein Fragment gebliebener Entwicklungsroman wie Jean Pauls 'Unsichtbare Loge' und vielleicht der 'Anton Reiser', unfertig geblieben, weil damals wohl schon die Aufgabe, aber noch nicht ihre Lösung klar vor Goethes Seele stand[1]).

---

[1]) Die im Text folgende Interpretation begründet, warum ich die 'Theatralische Sendung' von vornherein als Entwicklungsroman, nicht als Theaterroman beabsichtigt glaube. Der schon von E. Schmidt (Internat. Monatsschr. Okt. 1911 S. 46; Tag 1911 Nr. 235) angegriffenen, in letzter Zeit vor allem von Roethe (Jahrb. d. Goethegesellschaft 1. 1914, S. 157 'Goethes Helden u. d. Urmeister', Festrede zur Jahresverslg.) und Seuffert (Goethes Theaterroman, Festtagsgruß an Zwierzina, Graz 1924) wieder eingehender vertretenen Auffassung des Ur-Meister

Wie der 'Werther' geht auch die 'Theatralische Sendung' noch aus von dem Leiden des echt und stark Wollenden an der Enge und dem Unzureichen der Welt, in der er steht. Aus solchem Ungenügen heraus, unter dem Druck dieser Umwelt, aus dem Sehnen nach einem vollen Leben drängt Wilhelm zum Theater: als Verkörperung eines schöneren Daseins ist ihm dieses Reich schon im kindlichen Puppenspiel erschienen, und alle seine weiteren dichterischen und schauspielerischen Versuche, seine Zukunftspläne im Brief an Mariane, wie sein Anschluß an die Schauspielergesellschaft und sein Eintritt bei Serlo, sind Auswirkungen desselben Dranges. Sehr deutlich hat Goethe diesen Ursprung von Wilhelms theatralischer Leidenschaft ausgesprochen: „Sein Gefühl, das wärmer und stärker ward, seine Einbildung, die sich erhöhte, waren unverrückt gegen das Theater gewendet, und was Wunder? In eine Stadt gesperrt, in's bürgerliche Leben gefangen, im Häuslichen gedrückt, ohne Aussicht auf Natur, ohne Freiheit des Herzens. Wie die gemeinen Tage der Woche hinschlichen, mußte er mit unter hingehen, die alberne Langeweile der Sonn- und Festtage machte ihn nur unruhiger, und was er etwa auf einem Spaziergange von freier Welt sah, ging nie in ihn hinüber, er war zum Besuch in der herrlichen Natur und sie behandelte ihn als Besuch. Und mit der Fülle von Liebe, von Freundschaft, von Ahndung großer Taten, wo sollte er damit hin? Mußte nicht die Bühne ein Heilort für ihn werden, da er wie in einer Nuß die Welt, wie in einem Spiegel seine Empfindungen und künftige Taten, die Gestalten seiner Freunde und Brüder, der Helden und die überblinkende Herrlichkeiten der Natur bei aller Witterung unter Dache bequem anstaunen konnte? Kurz es wird niemand wundern, daß er wie so viele andere an's Theater gefesselt war,

---

als Theaterroman scheint mir auch die Art der Verarbeitung in den 'Lehrjahren' zu widersprechen. Es wäre erstaunlich, wenn Goethe seinen Entwicklungsroman als Bearbeitung und Fortsetzung einer Dichtung unternommen und aufgefaßt hätte, deren Konzeption mit dem Entwicklungsproblem keinerlei Berührung hatte. Auch die von Köster (Ztschr. f. dtsch. Unterr. 26, 1912 Heft 4, S. 209) versuchte Unterscheidung der verschiedenen Phasen der 'Theatralischen Sendung' scheint mir zu verkennen, daß Goethe schwerlich bei völlig veränderter Grundkonzeption Anlaß gehabt hätte, immer wieder auf dem Früheren weiter zu bauen.

wenn man recht fühlt, wie alles unnatürliche Naturgefühl auf diesen Brennpunkt zusammen gebannt ist"[1]). Aber diese Worte verraten auch bereits, daß der Blick, mit dem der Konflikt gesehen ist, nicht mehr der gleiche ist wie bei der Entstehung des 'Werther'[2]). Ein ironischer Unterton schwingt fühlbar mit, und wenn die Unzufriedenheit des Helden mit der Alltäglichkeit des Daseins begreiflich und berechtigt erscheint, so wird doch der jugendliche Überschwang seines Suchens und Planens als irrende Übertreibung gekennzeichnet. Wilhelms Neigung zu prunkvoller Maskerade wird Natürlichkeit als Merkmal wahrer Größe gegenübergestellt, wie im Gespräche mit Herrn von C. seiner Überschätzung lauten Ruhmes das Lob schlichter Pflichterfüllung entgegentönt. Seine gläubige Begeisterung erscheint in immer neuen Situationen als Weltfremdheit; ob er die Gewandtheit seiner Geliebten für Unschuld nimmt, ob die idealen Erwartungen von der Wirkung seiner Dichtung auf die Schauspieler in einem zügellosen Bankett seiner Zuhörer ihren Ausgang finden, oder er den Geschmack des Publikums an dem Eindruck der Seiltänzeraufführung, die Schätzung des Schauspielers durch den Zweikampf des Herrn von C. und das Betragen der Vornehmen auf dem Grafenschloß erfahren muß. Seine überwiegende Beschäftigung mit dem eigenen Innenleben und seine fehlende Menschenkenntnis, auf die ihn zuerst Herr von C. hinweist, werden sichtlich als Mangel gewertet, und als später Aurelie ihm diese Einseitigkeit seines Wesens vor Augen stellt, da gesteht er sein „schülerhaftes Wesen", und es ist ihm „als wenn ihm ein Nebel von den Augen fällt." Die grundsätzliche Verschiebung des Standpunktes gegenüber dem 'Werther' wird

---

[1]) Buch 1, Kap. 12, Weimarer Ausgabe Bd. 51 S. 42/43.

[2]) Wenn, wie Arnold E. Berger (Nord und Süd, Dez. 1888, S. 354 'Werther, Faust und die Anfänge des Wilhelm Meister') und ihm folgend Hans Berendt (Goethes Wilhelm Meister, Schriften der liter. hist. Gesellsch. Bonn, 1911) meint, die ersten Ideen zum Ur-Meister bereits vor dem ‚Werther' anzusetzen sind, so konnte damals der Gegensatz des Helden gegen die Umwelt noch ganz im Sinne des unlöslichen Konflikts empfunden sein. Mit 'Werther' aber war für dieses Erlebnis die endgültige Gestalt gefunden, und jeder Entwurf des Werkes aus der Periode nach dem 'Werther', insbesondere aus der ersten Weimarer Zeit, mußte von vornherein den Willen zum Ausgleich mit der Umwelt, wie ihn die jetzige Form der 'Theatral. Sdg.' zeigt, enthalten.

in voller Schärfe sichtbar, wenn Goethe Wilhelms Hingabe an seinen Schmerz nach dem Verlust Marianes mit scharfer Ablehnung schildert und daran die Betrachtung knüpft: „Leider wird dieser fast so unbeschreiblich- als unerträgliche Zustand von vielen wohl verstanden werden, die, wie unser Freund, sich für außerordentliche physische und moralische Phänomene ansehen, und jene Bewegungen, die sie zerreißend beunruhigen, der Gewalt ihres Herzens, der Kraft ihres Geistes zuschreiben; da sie doch mit etwas mehr Ordnung in ihrer Diät, mit etwas mehr Natur in ihrem Genusse zu ihrer eigenen und zu der Ihrigen Zufriedenheit recht ordentliche und recht natürliche Menschen werden würden"[1]), und wenn Werthers Klage um den „Strom des Genies", den man in kleinlicher Sorge um die gepflegten Bürgergärten eingedämmt habe[2]), umschlägt in das Gleichnis: „Ihr erscheint mir oft wie kleine sachte Bäche, worein die Knaben Steine tragen, um sie rauschen zu machen"[3]). Mag es auch mehr der Hohn auf unechtes Nachahmen Wertherischer Gefühle als auf die eigene einstige Leidenschaft sein, der hier spricht, so ist doch der Wille zur Einordnung in die allgemeinen Lebensformen unverkennbar. Nicht mehr der kämpfende Einzelne, der im Ansturm seiner allgewaltigen Leidenschaft gegen die ungemäße Umwelt zerbricht, wird verherrlicht; wie an Tasso so ergeht an Wilhelm Meister die Forderung, den Ansprüchen des gegebenen Daseins in irgend einer Weise genug zu tun.

So dürfen wir denn nicht zweifeln, daß Wilhelms Entwicklung ihn allmählich aus der Scheinwelt des Theaters ins wirkliche Leben zurückführen sollte. Die Bekanntschaft mit Herrn von C., der Aufenthalt auf dem Grafenschloß deuten schon auf diesen Übergang, die Mahnungen Jarnos weisen eindringlicher dahin. Wilhelm die Augen für die ganze Breite und den Reichtum des wirklichen Lebens zu öffnen, das ist die Aufgabe der Shakespeareschen Dichtung in dem Werk. Schließlich leitet ihn die Kritik Aureliens noch stärker „aus der idealischen Welt in die wahre herüber", wenn auch all diese Fingerzeige noch nicht vermögen, Wilhelm von seinen täuschenden Hoffnungen hinweg zu ziehen. Vielmehr endet

---

[1]) Buch 2, Kap. 1; Bd. 51 S. 102/103.
[2]) I. Teil, Brief vom 26. Mai.
[3]) Buch 2, Kap. 1; Bd. 51, S. 103.

ja das erhaltene Bruchstück gerade mit der Bindung ans Theater. Aber wir dürfen nach jenen Andeutungen wohl vermuten, daß die zweite Hälfte des Werkes, ähnlich wie in den Lehrjahren, wenn auch gewiß nicht mit demselben Ziel und in demselben Sinn, die Trennung von der Bühne und den Anschlnß ans tätige Leben geben sollte, ob wir gleich über den Plan des Weiteren nichts wissen[1]).

Das Problem der Entwicklung des Einzelnen ist in der 'Theatralischen Sendung' der Gegensatz jugendlich überschwenglichen Strebens nach einer idealen Welt und den Gegebenheiten einer Wirklichkeit, die mit diesem Idealbild nicht übereinstimmt, in ähnlicher Weise, wie ihn Schillers 'Schwärmer und Weltmann' zeichnet. Wir werden an das Problem des 'Agathon' gemahnt, nur daß nun keine überlieferte Norm mehr die Richtung füs das Ideal gibt, sondern es ganz aus dem Drange des Ich geboren wird. So konnte Goethes Werk auch nicht den Konflikt wie der 'Agathon' mit einem gemäßigten Geltenlassen dieses Ideals lösen. Wohl mag im allgemeinen ein Ausgleich zwischen den Forderungen der Seele und den Notwendigkeiten des Bestehenden Goethe als Ziel vorgeschwebt haben, aber die Nichtvollendung des Romans legt beredtes Zeugnis dafür ab, daß dieser Zielgedanke ungeklärt blieb. Denn als Goethe das abgebrochene Werk aufs neue zu Umgestaltung und Vollendung vornahm, selbst ein inzwischen Gewandelter, der für das eigene Leben die Formung gefunden hatte, da war ihm indes das Grundproblem ein anderes geworden. Gemeinsam ist der 'Theatralischen Sendung' und den 'Lehrjahren' das Thema der Entwicklung des Einzelnen; die Voraussetzung dieses Themas, das Problem unter dem die Entwicklung steht, hat ein

---

[1]) Der Gedanke einer Vollendung von Wilhelms Entwicklung auf dem Theater selbst gewänne höchstens dann an Wahrscheinlichkeit, wenn wir die von Serlo angekündigte Schauspielerin mit der Amazone gleichsetzen, wofür aber jeder nähere Anhalt fehlt. Wieweit der Plan der Fortsetzung mit den 'Lehrjahren' übereinstimmte, darüber läßt sich im einzelnen nichts vermuten. Wie die letzten Bücher auch in der Anlage vielfach das Gepräge einer späteren Zeit tragen, so gehört insbesondere die Idee der Turmgesellschaft gewiß erst dem Plan der 'Lehrjahre' an (vgl. auch Eugen Wolff, Wilhelm Meisters theatralische Sendung. Oldenburg u. Leipzig 1911). Finden wir auch den Ordensgedanken schon in Goethes erster Weimarer Zeit in den 'Geheimnissen', so hat er doch dort eine ganz andere Bedeutung und Prägung.

neues Gesicht gewonnen. Nicht mehr der enge Gegensatz unbegrenzten Wollens und einschränkender Wirklichkeit beschäftigt
den nachitalienischen Goethe, ein ungleich weiterer Horizont
umspannt das Dasein seines Helden und will ausgefüllt werden.
Und jetzt erst vermag Goethes Entwicklungsroman alle Ströme,
die die Zeit unterirdisch durchfluten, in sich aufzunehmen, Sinn-
bild zu werden für die große Lebensfrage, vor die sich diese
Generation und mit ihr das ganze folgende Jahrhundert
gestellt sieht.

2. KAPITEL
'WILHELM MEISTERS LEHRJAHRE'
I. LEBENSGANG
Verlauf und Gesetzlichkeit

Als Goethe Anfang der neunziger Jahre aufs Neue die Arbeit an 'Wilhelm Meister' in Angriff nahm, da lag der Konflikt, aus dem die 'Theatralische Sendung' geboren war, hinter ihm. War es, vielleicht seit der Beendigung des 'Werther', jedenfalls seit den ersten Weimarer Jahren für ihn entschieden, daß in dem Verhältnis des Einzelnen zur Umwelt nicht Kampf und Untergang die Lösung sei, die zu verwirklichen und darzustellen seine Aufgabe war, so gehört nun, zumindest seit der italienischen Zeit, auch die Frage selbst für ihn der Vergangenheit an. Nicht, ob es sich in die Welt hineinzufinden gelte, beschäftigt ihn mehr, die Forderung, in irgend einer Form den Ausgleich mit dem Leben zu erreichen, ist jetzt über allen Zweifel erhaben; wie dieser Forderung zu genügen ist, ist das Problem, das schon im Lauf des ersten Weimarer Jahrzehnt immer mehr herrschend wird, das in Italien bis zu einem gewissen Grade seine Bewältigung erfährt, und das nun, mit reichem Erlebnisgehalt gefüllt, reif zur Gestaltung geworden ist.

Damit fällt für die Anlage des Goetheschen Entwicklungsromans das ganze seelische Anfangsstadium fort, durch das der Wilhelm der 'Theatralischen Sendung' bis fast zum Abschluß des Bruchstücks hindurchgeht. Nicht mehr das Motiv des Kampfes gegen die Umwelt leitet diese Entwicklung ein, von vornherein ist der Drang zur Selbstbildung, der von Jugend an triebhaft in dem Helden wirksam ist, entscheidend.

In dem in der 'Theatralischen Sendung' noch fehlenden Brief Wilhelms an Werner, der die Gründe seines Eintritts beim

Theater darlegt, und der in manchem Betracht als Schlüssel zum Verständnis der Grundidee zu dienen vermag, ist dieser Leitgedanke von Wilhelms Werden klar ausgesprochen: „Mich selbst, ganz wie ich da bin, auszubilden, das war dunkel von Jugend auf mein Wunsch und meine Absicht"[1]. Kleine Züge, wie sie vor allem in Werners erstem Gespräch mit Wilhelm erwähnt werden, deuten früh auf diesen Plan des Werkes hin. Wilhelms Neigung zu immer neuen dichterischen Entwürfen, deren keiner vollendet wird, seine weitläufigen Vorbereitungen zu Puppenspielaufführungen, die nicht zustande gebracht werden, all das verrät seine suchende, von reichen Plänen erfüllte, nicht leicht sich begnügende, aber noch gänzlich unentschiedene Gemütsrichtung. Und noch in einem späten Stadium seiner Entwicklung bezeugen Theresens Worte über ihn gleiches: „er hat . . . das edle Suchen und Streben nach dem Bessern, wodurch wir das Gute, das wir zu finden glauben, selbst hervorbringen." „Seine Lebensbeschreibung ist ein ewiges Suchen und Nichtfinden; aber nicht das leere Suchen, sondern das wunderbare gutmütige Suchen begabt ihn, er wähnt, man könne ihm das geben, was nur von ihm kommen kann"[2]. Wohl ist in dem Helden selbst dies Motiv mehr als dumpfer Trieb denn als bewußtes Wollen vorhanden; als er während der Reise mit Beschämung das Schlendern bemerkt, in das er zeitweilig geraten ist, da heißt es: „aber deutlich konnte er nicht sehen, welches unüberwindliche Bedürfniß ihm die Natur zum Gesetz gemacht hatte, und wie sehr dieses Bedürfniß durch Umstände nur gereizt, halb befriedigt und irre geführt worden war"[3]. Und nur hin und wieder, wie in jenem Briefe, bricht die klare Erkenntnis dieses Ziels in ihm durch. Aber es ist der Gesichtspunkt, unter dem der Dichter den vielverschlungenen Weg seines Helden angelegt hat.

Es bedeutet die erste Phase dieses Weges, daß sich mählich die volle Breite der zeitgenössischen Welt vor Wilhelm entfaltet. Erst wenn er diese Welt in ihrer ganzen Fülle kennt, kann sich die Frage erheben, wie in dieser Vielheit die Einheit zu schaffen, aus der Mannigfaltigkeit die Form zu gewinnen ist. So setzt der Roman in dem Augenblick ein, da nach den Spielen und Träumen der

---

[1]) Buch 5, Kap. 3; Weim. Ausg. Bd. 22, S. 149.
[2]) Buch 8, Kap. 4; Bd. 23 S. 185.
[3]) Buch 2, Kap. 14; Bd. 21, S. 226.

Kindheit Wilhelm durch die Liebe zum erstenmal mit dem wirklichen Leben in Berührung kommt. Damit mußte die Darstellung der Knabenjahre, einst als Zeugnis für die Gegensätzlichkeit des Helden gegen seine Umwelt wichtig, ihren Platz in der Bahn seiner Entwicklung verlieren und dient als nachträgliche Erzählung nur noch zur Beleuchtung seines Charakters und zur Vervollständigung seiner Geschichte[1]).

Der Faden, der Wilhelm durch Mariane an das wirkliche Leben geknüpft hat, reißt jäh ab, freilich nicht, ohne sich im Stillen weiterzuspinnen und sich zunächst unterirdisch, dann immer sichtbarer, durch seine weitere Entwicklung zu ziehen. Doch aufs neue führt die Reise Wilhelm in die Welt hinein. Daß ihm die Natur zum erstenmal nahetritt, ist nur ein Auftakt. Entscheidend ist die Berührung mit den verschiedenen Gesellschaftskreisen, in die er nun nach und nach gerät. Um das wirtschaftliche Leben in seinem ganzen Umfang kennen zu lernen, sandten ihn Vater und Freund auf die Reise. Das Dasein überhaupt in all seinen Möglichkeiten in sich aufzunehmen und zu verarbeiten, wird sie ihm Anstoß. Von dem Moment an, da Wilhelm auf dem Marktplatz des kleinen Städtchens den ersten Gruß Philinens vom Fenster des benachbarten Gasthauses empfängt, bis zu jenem, da er in der Vereinigung mit Natalie Ziel und Krönung seines Suchens findet, führt ein ununterbrochener Weg seelischer Entfaltung, und bedeutsam erinnert der Dichter an jenem Höhe- und Schlußpunkt gerade an diese Begegnung.

Nicht mehr auf der Zugehörigkeit zum Theater ruht in den 'Lehrjahren' bei Philine und Laertes, wie bei dem Ehepaar Melina und den anderen Komödianten, der Schwerpunkt. Das Ungebundene ihrer Existenz, das Landfahrertum, das sich in ihnen verkörpert, macht sie zum Repräsentanten einer Gesellschaftsschicht, die damit zum erstenmal in Wilhelms Gesichtsfeld rückt. Für ihn, den Kaufmannssohn, dessen Umkreis, bis auf die kurze Episode mit Mariane und seine frühen Theaterbesuche, bisher Kontor und geordnetes Bürgerdasein war, bedeutet das die Erschließung eines Stück

---

[1]) Den Anstoß zu dieser viel geübten Form der nachträglichen Erzählung mag, wie öfter bemerkt worden ist, diesmal Goethe der 'Agathon' gegeben haben, da manche Einzelheiten, wie die Müdigkeit Marianes bei Wilhelms Geschichte, an Agathons Bericht vor Danae gemahnen.

Welt, das ihm neue, unerahnte Perspektiven eröffnen muß. So locker, ohne Gewicht und Halt diese Menschen sind, stellen sie doch Wilhelms eingesponnener Begrenzung gegenüber eine stärkere Wirklichkeit dar. Aus der 'Theatralischen Sendung' hat ja Goethe den Zug von Wilhelms vorwiegender Innerlichkeit und geringer Aufmerksamkeit auf die Außenwelt beibehalten; er gewinnt hier einen anderen Sinn: Wilhelm besitzt die seelische Anlage zu Aufnahme und Durchdringung, aber allmählich erst muß er aus sich heraus und in die Vielheit der Dinge hineingeführt werden. Der erste Schritt dazu ist die Berührung mit den Komödianten. Der Charakter des losen Völkchens wird am reinsten durch Philine dargestellt. Dadurch, daß man sie vielfach moralisch gewertet hat, hat man von vornherein ihren Platz in dem Werk verkannt. Es ist eine erhöhte Lebendigkeit, die mit ihr in Wilhelms Dasein tritt. „In Philine erschien ihm das höchste L e b e n; aber freilich nicht in einer dauernden G e s t a l t", so grenzt Körner[1]) ihre Bedeutung ab.

Doch bei aller Bereicherung von Wilhelms Weltkenntnis durch die Landfahrer ist es nur eine unterste Gesellschaftsschicht mit der er dadurch vertraut wird. Der Übergang zum Grafenschloß bedeutet eine weitere Stufe seiner zunehmenden Weltkenntnis. Nicht nur äußerer Zwang führt ihn wie in der 'Theatralischen Sendung' ins Grafenschloß, schon beginnt der Wille seinen Gesichtskreis zu erweitern, bewußt in ihm zu arbeiten, „... und unser Freund, der auf Menschenkenntniß ausging, wollte die Gelegenheit nicht versäumen, die große Welt näher kennen zu lernen"[2]). Aber nicht rein verstandesmäßig geht Wilhelm von einem Daseinskreis zum anderen über; auch hier ist es ein bestimmtes Erlebnis, das den Ausschlag gibt, ob er es sich auch selbst nicht eingesteht: der Reiz der Gräfin zieht ihn in jene Welt hinein, wie es vorher Philine war, die ihn in dem Milieu der Komödianten hielt. Können wir doch überhaupt bemerken, wie fast zu jeder Etappe von Wilhelms Werdegang eine Frauengestalt ihn leitet, wie es stets ein besonderer seelischer Vorgang, nie ein starres Programm ist, das ihn weiter und weiter führt.

---

[1]) Brief vom 5. Nov. 1796 an Schiller. Der Brief ist in den 'Horen' von 1796, 2. Jg. abgedruckt.
[2]) Buch 3, Kap. 2; Bd. 21, S. 247.

Mehr gesellschaftlich und standesmäßig, nicht so sehr dem inneren Wert nach ist der Lebenskreis des Grafenschlosses eine Steigerung gegenüber Wilhelms bisherigem Umgang. Erst durch das Auftreten Jarnos kündet sich die Anknüpfung an ein wahrhaft höheres Dasein an. Zugleich eröffnet Jarno durch die Vermittlung Shakespeares vor Wilhelm eine neue Fülle und Breite der Welt[1]). Die Shakespeareschen Werke sind in den 'Lehrjahren' einer der Faktoren, die daran mitwirken, den Horizont für Wilhelm mehr und mehr auszudehnen.

Ein Bild des gesellschaftlichen Daseins war es, das sich vor Wilhelm in den verschiedenen Stadien seiner Reiseerlebnisse aufbaute. Aber nicht in diesen klar übersehbaren, deutlich abgegrenzten Formen erschöpft sich die Welt, die ihn umgibt und trägt. Zwei Gestalten geleiten seinen Weg, die keine der Schichten repräsentieren, durch die er hindurchgegangen ist. Keinem Gesellschaftskreis zuzuzählen, wenn auch zunächst als Komödiant oder Vagabund auftretend, stehen Mignon und der Harfner außerhalb des geordneten Gemeinschaftslebens. Ihr Vorhandensein gibt Wilhelms Lebensbahn die Tiefe, läßt seinen Entwicklungsprozeß mehr sein als nur die Auseinandersetzung mit der äußeren Umwelt, führt ihn zu den letzten Gründen menschlichen Seins. Mit geheimnisvollem Schauer durchbrechen die beiden fremdartigen, unbegriffenen Wesen die gewohnten Lebensformen, künden von den unberechenbaren Gewalten, die grollend unter der geebneten Oberfläche des Daseins dräuen[2]). —

Der Weg, den der Dichter bisher seinen Helden geführt hat, ist der Weg aus anfänglicher Enge in die reiche Mannigfaltigkeit

---

[1]) Daß es unter den Shakespeareschen Stücken der 'Hamlet' ist, der in dem Roman eine so ausführliche Rolle spielt, erklärt sich daraus, daß dies Werk den Problemen des Entwicklungsromans und dem Charakter Wilhelms verhältnismäßig am nächsten steht: im Gegensatz zu andern Shakespeareschen Helden ist Hamlet nicht der Handelnde, sondern der Grübelnde, Zweifelnde, der Gedrängte und Gehemmte. Vgl. auch unten II S. 152 Anmerkg. 1.

[2]) Gundolf hat in seinem 'Goethe' in dem Kapitel über die 'Theatralische Sendung' (S. 351) darauf hingewiesen, wie der übergesellschaftliche Charakter dieser beiden Gestalten sich schon darin zeige, daß sie als einzige Personen im Roman ihren Gehalt lyrisch äußern, wie überhaupt die Gundolfsche Analyse das Dämonische, Elementare dieser beiden Gestalten und ihre Bedeutung im Roman besonders eindrücklich heraushebt.

der Umwelt. Die Entfaltung dieser bunten Vielheit aber bedeutet nur die erste Phase von Wilhelms Entwicklung. Nun sich das Leben in vollem Umfang vor ihm zu erschließen beginnt, bahnt sich ein neuer Prozeß an: der Versuch, diese Vielheit zu bewältigen, die Form zu finden, in der es möglich ist, sich der Mannigfaltigkeit einzuordnen, dem eigenen Sein Sinn und Grenzen abzustecken. „Der Mensch ist nicht eher glücklich, als bis sein unbegrenztes Streben sich selbst seine Begrenzung bestimmt"[1]), lautet eine der wichtigsten Einsichten des Lehrbriefs, die Jarno Wilhelm erörtert, und in der wir wohl einen Leitgedanken für Wilhelms Werdegang erblicken dürfen.

Die Erscheinung der Amazone ist das erste Anzeichen der neuen Richtung, die Wilhelms Weg einschlagen soll. Ein ferner Stern steht sie künftig über seiner Bahn, und wir fühlen, daß ihm nun ein Ziel gesetzt ist, ob er auch noch nicht weiß, welcher Pfad zu ihm hinführt. Er selbst empfindet sie als Verkörperung des früh im Stillen gehegten Ideals. „Alle seine Jugendträume knüpften sich an dieses Bild."[2]) Der neue Impuls, den Wilhelms Streben nun empfängt, zeigt sich in dem Entschluß einer festeren Lebensführung. „Er wollte nicht etwa planlos ein schlenderndes Leben fortsetzen, sondern zweckmäßige Schritte sollten künftig seine Bahn bezeichnen."[3]) Während die Reisebeschreibung des Laertes sowie der Umgang mit Serlo und Aurelie dazu beitragen, ihm auch weiterhin die Dinge der Außenwelt näherzurücken und zugänglicher zu machen, beginnt er zugleich, planvoller sein Leben lenken zu wollen. Der Brief an Werner zeigt ihn zum erstenmal klar über Bedürfnis und Aufgabe seiner Natur. Noch aber sucht er die Erfüllung dieses Bedürfnisses auf falschem Wege. Die „harmonische Ausbildung" glaubt er nur auf dem Theater finden zu können. Nicht nur Mignon will ihm die Hand wegziehen, da er den Kontrakt unterzeichnet, vor seinen Augen taucht in diesem Moment

---

[1]) Buch 8, Kap. 5, Bd. 23, S. 218. In dieselbe Richtung weist eine Notiz Goethes für den 'Wilhelm Meister' aus der italienischen Zeit (Weim. Ausg. Bd. 21 S. 331 Paralipomena zu Wilh. Meister. Ital. Notizbuch von 1788): „Wilhelm, der eine unbedingte Existenz führt, in höchster Freiheit lebt, bedingt sich solche immer mehr, eben weil er frei und ohne Rücksichten handelt."

[2]) Buch 4, Kap. 9, Bd. 22 S. 57.

[3]) Buch 4, Kap. 11; Bd. 22 S. 63.

das Bild der Amazone auf, ein Wahrzeichen, wenn auch nicht für Wilhelm, der beide Warnungen überhört, so doch für den Leser, daß einem anderen Bereiche die Verwirklichung von Wilhelms Streben zugehört.

Verschiedene Möglichkeiten, das Leben zu bewältigen, ziehen an Wilhelm vorüber, ehe er das ihm bestimmte Ziel erreicht, sei es daß er durch sie hindurchgeht oder doch nach ihnen greift, wie in dem Versuch, als Schauspieler zu wirken, oder mit Therese ein tüchtig-begrenztes Tätigkeitsfeld auszufüllen, oder daß sie nur als Bilder vor ihm vorbeigleiten, wie die Geschichte der ,,Schönen Seele"[1]). Hatte Wilhelm bisher in niederen und hohen Kreisen, ja selbst in dem geistigeren von Serlo und Aurelie, eine mehr oder weniger hilflose Abhängigkeit von den Wechselfällen des Daseins, ein unbedachtes Dahintreiben von Tag zu Tage gefunden, so tritt ihm in den Aufzeichnungen der Stiftsdame zum erstenmal ein Menschenleben entgegen, das unter einem erkannten und errungenen inneren Gesetz steht. Nicht nur die Persönlichkeit, sondern gerade der Werdegang der ,,Schönen Seele" bedeutet eine Form der Lebensbewältigung, ist, wie Wilhelms eigene Entwicklung, der Ausdruck einer allmählichen Auseinandersetzung mit dem Dasein und so zugleich eine Art Spiegelbild von Wilhelms Entfaltungsprozeß. Aber es ist eine Lebensbewältigung um den Preis des Verzichts auf die Kraft und Fülle der sichtbaren Welt, eine immer ausschließlichere Flucht in das Gebiet des Seelischen. Wilhelms Bahn weist in andere Richtung, ob er sich ihr auch mit der Betrachtung dieses Lebensbildes mehr als bisher nähert, in reinere Regionen taucht, den Bereich in dem er die Form seines Daseins finden soll hier schon von fern schaut, noch ehe sein Fuß ihn beschreitet.

Er erlangt Eingang in diesen Bereich, aus dem Natalie erwuchs, lang bevor er sie selbst erblickt, er nähert sich ihr allmählich, auf Umwegen und ohne es zu ahnen, er ist ihr nahe, atmet ihren Dunstkreis geraume Zeit ehe er sie wirklich findet.

---

[1]) Die Frage, wieweit Goethe für die 'Bekenntnisse einer Schönen Seele' bestimmte schriftliche Aufzeichnungen, sei es von eigener Hand, sei es von der Hand Fräulein von Klettenbergs, vorlagen, ist für unseren Zusammenhang ohne Bedeutung. So wie diese 'Bekenntnisse' im Gefüge des Romans erscheinen, sind sie in jedem Fall organisches Glied eines einheitlichen Ganzen.

Ein neuer Führer ist ihm indessen erstanden: das Kind, das er als sein und Marianes Kind erkennen darf, das die Fäden, die sich von seiner Vergangenheit noch in ihm spinnen, anknüpft an seinen weiteren Weg, läßt den so lange jünglingshaft Tastenden zum Manne werden. Der Suchende, Allempfängliche, den es durch alle Möglichkeiten hindurch lockte, beginnt sich in der Welt verhaftet zu fühlen, Dauer und Seßhaftigkeit werden ihm zum Bedürfnis. „Er sah die Welt nicht mehr wie ein Zugvogel an . . . Alles, was er anzulegen gedachte, sollte dem Knaben entgegenwachsen, und alles, was er herstellte, sollte eine Dauer auf einige Geschlechter haben. In diesem Sinne waren seine Lehrjahre geendigt, und mit dem Gefühl des Vaters hatte er auch alle Tugenden eines Bürgers erworben"[1]). Mit seiner Vaterschaft hat die Natur selbst ihn für reif erklärt. So ist er nun bereitet, das Ziel seines Strebens zu gewinnen.

Schon hat er sich diesem Ziel genähert; in Lothario, dem Abbé, in der Gestalt des Oheims, die ihm aus den Bekenntnissen der Schönen Seele entgegenblickt, treffen ihn die Ausstrahlungen der Atmosphäre, der Natalie angehört. Von allen Seiten zu ihr hingeführt, ob auch durch neuen Irrweg noch vom letzten Ergreifen des Ziels abgelenkt, betritt er ihr Haus, das Haus des Oheims, das ihn mit den Gemälden seiner Kinderjahre grüßt, das ihren Geist spiegelt, noch ehe sie selbst vor ihm steht.

In dieser Umgebung, inmitten der Freunde, die Wilhelms Weg ohne sein Wissen geleitet haben, in der reinen Helle, die Nataliens Gestalt umleuchtet, löst sich alles Verworrene, das noch seine Bahn überdeckt, seinen Blick behindert. Was teil hatte an dem Prozeß seines Werdens, geht ein in die Form, die die Massen ordnend gestaltet. Der ruhigen Entwirrung entziehen sich nur die Geschicke des Harfners und Mignons. Durch Erlebnis oder Geburt außerhalb der Gesetze des geregelten Gemeinschaftslebens gestellt, Opfer der Kräfte, die diese schützende Regelung zerstörend durchbrechen, aus der Irrung und Entartung gesunden Seins hervorgegangen, kann nur im Untergang ihr Schicksal die Lösung finden. Dem Dasein, mit dem Wilhelm rang, gehörten auch diese Mächte an; die Klarheit, zu der er gelangt ist, ist Bezwingung und Einordnung nicht nur der Fülle

---

[1]) Buch 8, Kap. 1; Bd. 23 S. 137.

der Umwelt, sondern auch der dunklen Gewalten, die ihren Boden gefährdend bedrohen; darum erreichen in diesem Bannkreis auch die Qualen des Harfners ihr Ende, ist Mignon in der versöhnenden Schönheit des „Saals der Vergangenheit" die Todesruhe bereitet.

In der Vereinigung mit Natalie, im Bündnis mit ihrem Bruder und seinen Freunden gewinnt Wilhelms Streben nach harmonischer Ausbildung seiner Natur seine Verwirklichung, schließt sich die unübersehbare Mannigfaltigkeit des Lebens, durch das sein Weg führte, zur gestaltenden Einheit zusammen.

Die Lebensformung, die Wilhelm zuteil wird, ist Entfaltung der als Keim früh in ihm sichtbaren Anlage. Aber nicht planvoll hat sein Wille ihm den Weg gewählt und bestimmt. Die Entwicklung, die wir rückblickend überschauen, ist von dem Zusammenwirken mannigfacher Mächte, dem Ineinandergreifen vielfacher Anlässe gebildet, die den Helden bald ablenken, bald zurückführen, erst auf Umwegen zum Ziel gelangen lassen, und er selbst scheint oft nur der Geleitete und von außen Gedrängte.

Als einen besonderen Vorzug des Goetheschen Romans hebt Körner die Kunst in der Verflechtung von Schicksal und Charakter hervor[1]), und Goethe betont, daß ihm dies Lob wohlgetan[2]), „da ich besonders auf diesen Punkt eine ununterbrochene Aufmerksamkeit gerichtet habe und nach meinem Gefühl dieses der Hauptfaden sein mußte, der im Stillen alles zusammenhält und ohne den kein Roman etwas wert sein kann"[3]). „Das Persönliche

---

[1]) a. a. O.

[2]) Brief vom 19. Nov. 1796 an Schiller. Goethe schreibt: „Die unterstrichene Stelle hat mir besonders wohl getan." In Ludwig Geigers Ausgabe des Schiller-Körnerschen Briefwechsels (Stuttgart, Cotta 1892), der das Original des betreffenden Körnerschen Briefes vorlag, ist, wie auch in den früheren Ausgaben des Briefwechsels, die Unterstreichung nicht angemerkt, wie auch die Weimarer Ausgabe (Abt. IV Bd. 11) zu dem Brief Goethes die betr. Stelle nicht verzeichnet. Die Einsicht in das auf der Berliner Staatsbibliothek befindliche Original von Körners Brief erwies den Satz: „Besondere Kunst finde ich in der Verflechtung zwischen den Schicksalen und den Charakteren" als die „unterstrichene Stelle".

[3]) O. O.

entwickelt sich aus einem selbständigen unerklärbaren Keime, und diese Entwickelung wird durch die äußeren Umstände bloß begünstigt", so erläutert Körner die Art dieser Verflechtung[1]).

Das Wechselspiel zwischen dem Charakter des Helden und den Einwirkungen der Außenwelt gehört, wie in gewissem Sinn zum Wesen jedes Romanes, so ganz besonders zu dem des Entwicklungsromanes, dessen Thema ja die Auseinandersetzung des Einzelnen mit der Welt ist. Aber in den früheren Entwicklungsromanen ist das Verhältnis sehr viel einfacher und durchsichtiger. Wenige, fest umrissene Mächte sind es, mit denen der Einzelne zu ringen hat; alles, was seinen Werdegang bedingt, ist letztlich den zwei großen Gewalten zugehörig die sich in die Bestimmung des Lebens teilen: dem weltlichen Daseinsbereich und der religiössittlichen Leitung. Ob die eine der andern eingegliedert ist, wie im 'Parzival', ob sie einander feindlich gegenüberstehen, wie im 'Simplicissimus', ob ihre Geltung umstritten ist, wie im 'Agathon' — immer sind es klar umgrenzte Ordnungen mit deutlichen Forderungen und Befugnissen. Im 'Wilhelm Meister' ist das Gefüge gelöst; mancherlei, schwer von einander zu trennende Mächte wirken am Werden des Helden. Das gesellschaftliche Leben in weitem Umfang hat ihn gebildet; aber auch die außergesellschaftlichen Kräfte haben durch Mignon und den Harfner an ihm teil. Die Kunst ist zum selbständigen Einflußbereich geworden und greift durch die frühen Theatereindrücke, durch die Bedeutung der bildenden Kunst, wie sie ihm auf der höchsten Stufe seiner Entfaltung nahetritt, vor allem aber durch Shakespeare in seine Entwicklung ein. Die Natur selbst ist Wilhelms größte Lehrerin; die scheinbar flüchtige Blüte seiner ersten Liebe läßt sie zu segensvoller Frucht werden, um ihn durch Felix zur Vollendung zu leiten. „O, der unnöthigen Strenge der Moral! . . . Da die Natur uns auf ihre liebliche Weise zu allem bildet, was wir sein sollen,"[2]) ruft Wilhelm aus, überrascht durch die Wandlung, die der Umgang mit dem Knaben in ihm hervorzubringen beginnt. Und neben und über all diesen Einflüssen und Erfahrungen ist es zugleich die planvolle Leitung der Turmgesellschaft, die die Fäden seines Lebens ordnend und verknüpfend in der Hand hält.

---

[1]) a. a. O.
[2]) Buch 8, Kap. 1; Bd. 23 S. 137.

Aber nicht nur die Vielheit der beteiligten Faktoren unterscheidet die Führung von Wilhelms Leben von der in den älteren Entwicklungsromanen. Bei Goethe zuerst wird das Verhältnis zwischen Charakter und Schicksal im Werden des Einzelnen, das Ineinandergreifen der verschiedenen Mächte, die auf ihn wirken, zum bewußten Problem. Die Abgesandten der Turmgesellschaft, die bedeutsam am Weg des Helden auftauchen, weisen Wilhelm selbst auf die Frage hin, die theoretischen Gespräche über Roman und Drama rühren an diesen Punkt; auch die Hamletanalyse gehört in diesen Zusammenhang, denn Wilhelms Deutung des Stückes versucht ja gerade die ursprüngliche Anlage des Prinzen zu sondern von der Veränderung, die die Ereignisse in ihm hervorrufen, wie denn ja der 'Hamlet' durch die ihm eigene Art der Verknüpfung von Gesinnungen und Begebenheiten von Wilhelm und Serlo als dem Epos verwandt erklärt wird.

Nicht nur die schon im 'Agathon' gestreifte Abhängigkeit des Menschen von der Umgebung, in der er heranwächst, das ganze Netz von Anlässen und Ursachen, von unerwarteten Kreuzungen und ungeahnten Zusammenhängen, die das Einzelleben umspinnen und einschließen, wird in all seinen Verschlingungen in Goethes Werk ausgebreitet, von Zeit zu Zeit mit plötzlichen Streiflichtern beleuchtet. Die Problematik dieser Verknüpfungen und Verstrickungen gehört zu dem Bilde des menschlichen Entwicklungswegs, wie Goethe es zeichnet. Zahllose unberechenbare Zufälle beeinflussen den Gang dieses Weges, von dem Menschen, wo sie seinen Neigungen entgegenkommen, allzuleicht für schicksalhafte Bestimmung genommen, aber sie sind nur der rohe Stoff, aus dessen überreich zuströmenden, ungeordneten Massen erst das wirklich geformte Leben gebildet werden muß. Was Wilhelm für Schicksal hält, weil es seinen augenblicklichen Wünschen entspricht, wie die Umstände die seinem Drange zum Theater entgegenkommen, muß er für Umweg und Irrtum erkennen, und scheinbar zufällige Begegnungen enthüllen sich als Glieder eines Zusammenhangs, der ihn zur ersehnten Vollendung emporleitet. Sonderung des umbildungsfähigen und umbildungsbedürftigen Zufalls von der unabänderlichen Notwendigkeit fordert Goethe von seinem Helden, streng verwirft er durch den Mund des Fremden, dem Wilhelm in der

Nacht vor dem Bruch mit Mariane begegnet, das wahllose Hin-
nehmen jedes Geschehens als vernunftvoller Lenkung. Doch
über dem Gewirr der bunten Daseinsfülle, die Wilhelm umgibt,
die als Aufgabe vor ihm liegt und der Bewältigung bedarf, er-
richtet er in der Turmgesellschaft die sinnvolle, schicksalhafte
Leitung, die den Helden mit leisen, ihm selbst kaum bemerkbar
gewordenen Winken durch dieses bunte Wirrsal sicher hindurchführt, in ihrem Ziel und Willen nur Erfüller des Triebes, der in
seiner Brust ruhte und der Entfaltung harrte, Vollstrecker der
Bestimmung, die ihm in der eigenen Naturanlage vorgezeichnet ist.

Bildwerdung.

Der Versuch, den Werdegang des Goetheschen Helden nachzuzeichnen, findet manchen Anhalt in Erläuterungen des Dichters,
in eigenem Nachdenken des Helden, in Beurteilungen seines
Charakters und seiner Entwicklung durch die, die seinen Weg
kreuzen oder überschauend betrachten. Aber nicht im unmittelbar
Ausgesprochenen wird Wilhelms Entfaltungsprozeß in seinem
ganzen Umfang und in seiner ganzen Tiefe ergreifbar; die Gestalten die seinen Pfad geleiten und umrahmen gilt es zu belauschen und zu deuten, wollen wir Verlauf und Gesetz dieses
Lebens erschließen.

Die Geschichte der Formgebung im deutschen Entwicklungsroman vom 'Parzival' bis zum 'Agathon' war — entsprechend
den Wandlungen in Wesen und Darstellungsweise der erzählenden
Dichtung überhaupt — die Geschichte des zunehmenden Interesses an der direkten Seelenanalyse. Der 'Agathon' bedeutete
Abschluß und Krönung des Prozesses, Begründung des psychologischen Entwicklungsromans. Auf dem durch den 'Agathon'
geschaffenen Boden steht als sein nächster Nachfolger auch der
'Wilhelm Meister'. Auch er ist aus den Voraussetzungen psychologischer Zergliederung erwachsen. Das Denken über seelische
Zustände und Veränderungen ist der Verfasser wie seine Gestalten gewohnt. Zahlreiche Stellen des Werkes geben davon
Kunde.

Zugleich aber wird im 'Wilhelm Meister' eine Wendung
bemerkbar. Eine Abkehr von der Blickrichtung nach innen bahnt

sich wieder an. Das kommt nicht nur darin zum Ausdruck, daß Goethe seinen Helden aus der überwiegenden Beschäftigung mit dem eigenen Seelenleben heraus in die Breite der Welt führt, daß er die Selbstbeobachtung, die der 'Agathon' lobt und fordert, bekämpft und tadelt; die Darstellungsweise des Werkes selbst sagt am deutlichsten über diese Verschiebung der Betrachtungsweise aus. Nicht in den Gedanken des Helden, nicht in der Aufdeckung seiner Seelenvorgänge läßt der Dichter in erster Linie die Bahn seiner Entwicklung offenbar werden; im gestalteten Symbol treten ihre Stufen, treten die Mächte, die sie lenken, tritt das Ziel, das sie abschließt, vor unser Auge.

Daß die verschiedenen Schichten der gesellschaftlichen Welt, die Wilhelm berührt, durch bestimmte repräsentative Gestalten verkörpert sind, ist oft betont worden[1]); dieser Zug ist so hervorstechend, daß er leicht dazu verführt, die einzelnen Personen allzu ausschließlich als Typen und Standesvertreter zu verstehen. Aber wenn man auch mit solcher Zuspitzung das durch keine Deutung zu erschöpfende und einzufangende dichterische Leben des Werkes einengt, so ist doch andererseits gewiß, daß in den einzelnen Menschen und Gruppen des Romans in geheimnisvoller Weise ein Stück Welt und zugleich eine Seelenlage des Helden mit heraufgehoben wird, daß Epochen seines Werdens in solchem Spiegel erscheinen. Auch die zerstörenden Kräfte der menschlichen Seele, die Abirrungen menschlicher Vernunft, die unberechenbar und unheimlich das organische Wachstum durchbrechen, sind nicht als Erlebnisse und Empfindungen des Helden in das Werk aufgenommen. In den fremdartigen Zauber Mignons, in das unergründliche Leid des Harfners ist gebannt, was nirgends bis zum Letzten ausgesprochen, auch in den Enthüllungen am Schlusse nur sparsam beleuchtet wird. In gleicher Weise finden die Versuche der Lebensbewältigung, die verschiedenen Zielrichtungen, die als Möglichkeiten vor Wilhelms tastendem Geiste vorüberziehn, ihre Verkörperung in bildhaften Erscheinungen von durchaus eigenkräftigem Sein und Gebaren wie der „Schönen Seele" und Therese.

---

[1]) Vgl. besds. Zinckernagel, Goethes Ur-Meister und der Typusgedanke. Zürich 1922.

Schiller vermißt in dem Roman eine „deutlichere Pronun-
ciation der Hauptidee", eine klare Bezeichnung des „Ziels, bei
welchem Wilhelm nach einer langen Reihe von Verirrungen
endlich anlangt"[1]. Wenn Goethe zur Erklärung fast entschuldi-
gend auf seinen „realistischen Tic" hinweist[2], so dürfen wir
wohl sagen, daß gerade diese Eigenheit des Werkes aufs Tiefste
mit seiner ganzen Anlage, der Blickrichtung, aus der es geschaut
und geformt ist, zusammenhängt und daß die von Schiller geforderte begriffliche Formulierung sein tiefstes Wesen hätte zer-
zerstören müssen[3]. In der Tat wird durch die Erläuterungen,
die Goethe im Gespräch Wilhelms und Jarnos im achten Buch
offensichtlich auf Schillers Anregung hin[4] eingefügt hat, die
Idee der Dichtung, der Leitgedanke von Wilhelms Entwicklung
eher verdunkelt als geklärt. Alle Winke, die durch den Mund
Jarnos hier gegeben werden, vermögen nur Teilerscheinungen
dieses Werdeprozesses und seiner Vollendung zu berühren, nicht,
ihn nach Umfang und Tiefe zu erschöpfen. Nicht in dürren Worten
sollte das Resultat von Wilhelms Lebensweg zusammengefaßt
werden. In der Gestalt Natalies ist die Erfüllung und Krönung
seines Strebens in unvergleichlicher Reinheit und Vollkommenheit
Gebild geworden.

In solchem symbolischen Sinn allein ist auch die künstlerische
Bedeutung der Turmgesellschaft zu begreifen. Wo man durch
die Tätigkeit der geheimen Gesellschaft die organische Entfaltung von Wilhelms Leben, den natürlichen Verlauf des Romans
gefährdet sah, da hat man diese Symbolik verkannt. Der un-
willkürliche und aus sich selbst in Wilhelm wirksame Trieb, der
zur harmonischen Bildung seiner Persönlichkeit drängt, noch
ehe er sich davon Rechenschaft gibt, ist als solcher nicht dar-
stellbar; mit seinem bewußten Willen ist er nicht immer eins,

---

[1] An Goethe 8. Juli 96; 19. Oktober 96.

[2] An Schiller 9. Juli 96.

[3] Goethe hat das offenbar zuletzt selbst empfunden, wenn er
schließlich das 8. Buch zum Druck gibt, ohne Schiller die Änderungen
nochmals vorher zu zeigen. vgl. Goethes Brief an Schiller vom 10. August
96: „Es liegt in der Verschiedenheit unserer Naturen, daß es [das Werk]
Ihre Forderungen niemals ganz befriedigen kann ..." und Schillers
Antwort vom 10. August (undatiert. Briefwechsel Nr. 209).

[4] Vgl. Goethes Brief an Schiller vom 9. Juli 96.

vielmehr täuscht sich sein Wille bisweilen, wie in der Abirrung zu Therese[1]), über die geheimen Notwendigkeiten seiner Natur. Unentrinnbar waltet dieser Trieb in ihm, sein Leben gestaltend, auch wo er selbst dessen Ziel verkennt, eins mit seinem Schicksal selbst, „das Gesetz, wonach er angetreten". Vollstrecker dieses Schicksals, dieses seines eigenen Gesetzes ist die Leitung der Turmgesellschaft. Was sonst nur die zergliedernde Analyse, die zusammenfassende Rückschau verdeutlichen könnte, ist im Schalten der Mitglieder des Turmes sichtbare Handlung geworden[2]); es gibt dem Lebenslauf Wilhelms den symbolischen Hintergrund, der die Bedeutung dieses Weges als einheitlich organischen Prozesses, nicht als beliebig willkürlicher Folge von Begebenheiten, erst sinnfällig vor Augen stellt.

Diese bildhaft - symbolische Darstellung von Ungreifbar-Seelischem an Stelle der Umschreibung durch das ausgesprochene Wort, aus der die Idee der Turmgesellschaft erwachsen ist, mag uns von fern an die Gralssymbolik des 'Parzival' erinnern. Wie denn überhaupt in der Gestaltungsweise des 'Wilhelm Meister' gegenüber der zunehmenden Neigung des Romans der vorhergehenden Jahrhunderte zur Zergliederung und Reflexion die ersten Ansätze eines erneuten Willens zu Erzählung und Darstellung, wie sie einst das Epos besessen hatte, sichtbar werden. Schon Schiller hat darauf hingewiesen, daß der 'Wilhelm Meister' sich in manchen Zügen dem Epos annähere[3]), und so bedeutet

---

[1]) Es ist zu beachten, daß Wilhelm die Werbung um Therese, die auf einer Selbttäuschung über seine Bedürfnisse und seinen Charakter beruht, bewußt ohne Wissen und Willen der Turmgesellschaft unternimmt. Vgl. Buch 8, Kap. 1; Bd. 23 S. 143 und Kap. 4, S. 189.

[2]) Schiller hat hervorgehoben, wie Goethe der Bedeutung der Turmgesellschaft sehr glücklich alles Programmatische genommen und ihr den symbolischen Charakter gewahrt habe, dadurch, daß er ihre Zwecke von Jarno ein wenig ironisch behandeln läßt. „Daß Sie aber selbst bei diesem Geschäfte, diesem Zweck — dem einzigen in dem ganzen Roman, der wirklich ausgesprochen wird, selbst bei dieser geheimen Führung Wilhelms durch Jarno und den Abbé, alles Schwere und Strenge vermieden, und die Motive dazu eher aus einer Grille, einer Menschlichkeit, als aus moralischen Quellen hergenommen haben, ist eine von den Ihnen eigensten Schönheiten. Der Begriff einer Maschinerie wird dadurch wieder aufgehoben, indem doch die Wirkung davon bleibt." (8. Juli 96 an Goethe.)

[3]) Brief vom 8. Juli 96 an Goethe, 20. Okt. 97 an Goethe.

diese Verwandtschaft der Formgebung mit der älteren erzählenden Dichtung nichts Vereinzeltes in dem Werk, ist nur der Ausdruck des Lebensgefühls von dem es getragen wird und das über die Form des Romans sacht wieder hinauszudringen strebt. Vorbild des modernen Bildungsromans, Beginn einer fast unübersehbaren Reihe von Nachfolgern, birgt der Goethesche Entwicklungsroman doch zugleich die Keime einer Bewegung in sich, die in ihrem Ziel und ihrer völligen Verwirklichung letzten Endes, wie zur Überwindung des Prosaromans überhaupt, so insbesondere zu der des Entwicklungsromans führen muß.

II. AUFGABE UND LÖSUNG

Die Lebenswege des Parzival, des Simplicius, des Agathon waren bei aller Verschiedenheit in Ziel und Problemstellung, bei allem Wandel der Blickrichtung, aus der sie geschaut sind, doch einander verwandt, und wir konnten die Bahn der Späteren an der ihrer Vorgänger messen, um diesen Wandel zu erkennen. Von Wilhelm Meisters Werdegang scheint kaum eine Brücke hinüber zu leiten zu der Linienführung in den früheren Entwicklungsromanen, und der Vergleich mit deren Stufen und Kurven vermag uns im einzelnen fast keinen Zug in Wilhelms Entfaltungsprozeß zu erhellen. Ausgangspunkt und Aufgabe sind hier eine durchaus andere als in den bisherigen Werken, ergeben andere Fragen, andere Nötigungen, als wir sie bis dahin im Entwicklungsroman gewohnt waren.

Und doch ist der 'Wilhelm Meister' aufs engste in diesen Zusammenhang verflochten, unmittelbar verknüpft vor allem mit dem 'Agathon', dessen Ergebnis gewissermaßen die Voraussetzung für die Problemstellung des Goetheschen Romans bildet[1]).

An der gegebenen Norm, mit der er noch aufgewachsen war, hatte der Wielandsche Held zweifeln gelernt, die Lösung, die er fand, bedeutete trotz aller Milderungen und Einschränkungen ihre grundsätzliche Erschütterung. Damit war an die Entwicklung des Einzelnen eine neue Forderung gestellt; nicht mehr hineinfinden in eine gegebene Ordnung galt es künftig, der Mensch mußte sich der Notwendigkeit gegenüber sehen, selbst eine solche Ordnung zu suchen.

---

[1]) Dies ist nicht in dem Sinne persönlicher Abhängigkeit zu verstehen. Aber die Problemstellung des 'Meister' setzt eine historische Geisteslage voraus, wie sie im Schluß des 'Agathon' zum Ausdruck kommt.

Das ist die Problematik, aus der Goethes Entwicklungsroman erwachsen ist. Keine überlieferte, ehrwürdige Regel geleitet mehr Wilhelms Knabenjahre, keine feste Richte ist über seiner Bahn, mit der er zu ringen, der er sich anzugleichen, die er auch nur auf ihre Berechtigung zu prüfen hätte. Von vornherein umgibt ihn eine Vielheit von Möglichkeiten, steht er in pfadloser Weite, in der er erst Ziel und Weg finden soll. Die Welt, die die Helden Wolframs und Grimmelshausens umschloß, war, in wie verschiedener Form auch immer, ein Kosmos; im 'Agathon' war dieser Kosmos reif geworden zum Einsturz. Vor Wilhelm Meister liegt ein Chaos, das der Gestaltung zu neuem Kosmos harrt.

Und das ist die tiefste und einschneidende Bedeutung von Goethes 'Wilhelm Meister', die erst Umfang und Dauer seiner Nachwirkung erklärt: zum erstenmal ist hier aus dieser neugeschaffenen Lage heraus der seelische Weg des Einzelnen gestaltet, hat die große Lebensfrage, vor die von jetzt an der Mensch gestellt ist, künstlerischen Ausdruck gefunden[1]).

Weil die Voraussetzungen von Goethes Entwicklungsroman auch die des ganzen folgenden Jahrhunderts und im allgemeinen noch unserer Zeit sind, so ist man allzu leicht geneigt, sie als selbstverständlich hinzunehmen, mit dem Problem des Goetheschen Romans als gegeben zu rechnen und nur dem Lösungsversuch, den das Problem darin erhält, seine Aufmerksamkeit zu schenken.

So gelten denn die meisten Deutungen des Werkes dem Bildungsziel, das Goethe aufrichtet, und der Art, wie es von dem Helden erreicht wird[2]). Und doch ist nicht nur die historische Stellung der Dichtung, sondern auch das Erlebnis dem sie Stimme gibt zutiefst bedingt gerade durch die Wucht und den Schauer, die die Aufgabe als solche, jenseits von der Form ihrer Bewälti-

---

[1]) So kann Friedrich Schlegel den 'Meister' ein „schlechthin neues und einziges Buch" nennen, „welches man nur aus sich selbst verstehen lernen kann". (Charakteristik des Wilhelm Meister. Athenäum 1. Stück; oder: Charakteristiken u. Kritiken Bd. I, Königsberg 1801, S. 146).

[2]) So auch die eingehende Analyse von Max Wundt, Goethes Wilhelm Meister und die Entwicklung des modernen Lebensideals. Berlin/Leipzig 1914.

gung, in sich birgt[1]). In der Aufgabe, nicht in der Lösung, liegt die höchste Leistung des 'Wilhelm Meister'; sie zum erstenmal gestellt zu haben, macht ihn zum Vorbild aller späteren Entwicklungsromane. Daß der Einzelne verloren in chaotischer Welt steht, diese Voraussetzung in ihrer ganzen Schwere war für Goethe keineswegs eine Selbstverständlichkeit; noch nicht gewohnter Zustand, sondern voll der Gewalt eines neuen Erlebnisses, wie sie zunächst dem Menschen der Sturm - und - Drangzeit gegenübergetreten war, ist sie durchaus einbezogen in die Erschütterungen, aus denen der 'Wilhelm Meister' geboren ist. „. . . wie sauer wirds dem Menschen ohne Überliefrung ohne Lehre zur rechten Zeit sich selbst zu finden und zu helfen", lautet eine durch den Eindruck von Karl Philipp Moritz angeregte briefliche Äußerung Goethes aus Italien[2]). Goethes gesamtes Erleben und Erleiden, die Gestaltungsarbeit an seinem eigenen Dasein schließt das Gefühl dieser Voraussetzung, ob bewußt oder unbewußt, ein[3]). —

Der Welt- und Seelenlage, in die er hineingestellt ist, entspricht in diesem wie in allen Entwicklungsromanen Charakter und Anlage des Helden. Wilhelms viel angefochtene Unsicherheit und Bestimmbarkeit ist notwendiger Ausdruck einer Problematik,

---

[1]) Auch von dieser Voraussetzung aus begreifen wir die Rolle, die der 'Hamlet' im 'Wilhelm Meister' spielt. Bei der Beziehung des 'Werther' zum 'Hamlet' hat Gundolf ('Shakespeare und der deutsche Geist', Buch 3, II S. 246) darauf hingewiesen, daß der 'Hamlet' auf einer ähnlichen Voraussetzung wie der 'Werther', der Voraussetzung des modernen Menschen, fußt, da „dem Einzelnen kein Gott mehr, keine Gesamtordnung und -Bindung der Welt die innere Last tragen hilft." Gleiches gilt für die Beziehung des 'Meister' zu ihm.

[2]) 7.—10. Februar 87 an Frau von Stein (Undatiert. Weim. Ausg. Nr. 2573). Auch in solchem Sinn mochte Goethe in Moritz und seinem Entwicklungsgang ein Spiegelbild sehen. S. oben Kap. 1 S. 127, Anm. 1.

[3]) Auch die Klage Wilhelms im Brief an Werner (Buch 5, Kap. 3 Bd. 22 S. 149—151) über die Unfähigkeit des Bürgertums, die Ausbildung harmonischer Menschlichkeit zu gewähren, beleuchtet diesen Zusammenhang, wenngleich sie nur einen Ausschnitt der gegebenen Welt: die bürgerliche Kultur, heraushebt. Umsomehr als auch der Adel, den Wilhelm hier als Vorbild hinstellt, tatsächlich keineswegs Goethes Ziel geformter Menschlichkeit repräsentiert, sondern Wilhelm die Verwirklichung dieses Ideals zwar in der Sphäre des Adels, aber unter Menschen findet, die nicht nach der Gewohnheit ihres Standes leben, sondern ein neues, eigenes Gemeinschaftsleben erstreben und verkörpern.

die aus dem Einströmen einer hemmungslosen Fülle auf den Einzelnen, aus dem Hingegebensein an zahlreiche einander kreuzende Eindrücke und Lockungen erwächst. In seiner All-offenheit und Bildsamkeit ist Wilhelm ebenso der repräsentative Held des Entwicklungsromans dieser Epoche, wie es Parzival in seinem seelischen und körperlichen Adel, Simplicius in seinem Leichtsinn, Agathon in seiner grübelnden Tugend für ihre Zeit waren.

Dem Streben Wilhelms, alle Fülle der Umwelt aufzunehmen und zu gestalten, aus der lockeren Vielheit die harmonische Einheit geformten Menschentums zu erringen, steht Werners dürftiger Egoismus gegenüber, der von vornherein auf solches Streben Verzicht leistet, sich nicht zum Menschen bildet, sondern unbe-kümmert um die Frage nach Sinn und Ziel sich mit einem leeren Zweckdasein begnügt und beim Wiedersehen mit Wilhelm, über-rascht durch dessen gereifte und vollendetere Erscheinung, be-kennen muß: ,,wenn ich diese Zeit her nicht recht viel Geld ge-wonnen hätte, so wäre doch auch garnichts an mir"[1]. Die viel-artige, mannigfaltige Umwelt Wilhelms ließ sich nicht in einen Vertreter bannen wie die verderbte des Simplicissimus, die skep-tische des Agathon; gleichwohl aber ist Werner Parallelfigur des Helden in ganz demselben Sinn wie ein Gawan, ein Olivier, ein Hippias es waren: gleich jenen ohne Nötigung der Auseinander-setzung mit der gegebenen Welt. Er verkörpert die Menschen-art, die ohne Bedürfnis einer Lebensformung sich willig jenem richtungslosen Getriebe überläßt, in seiner Vielheit und Zu-sammenhangslosigkeit kein Problem sieht und das eigene Dasein als ein isoliertes Teil davon ohne Verknüpfung mit einem Ganzen unbedenklich hinnimmt. —

Nachdem die Norm, die bisher das menschliche Leben ge-leitet hatte, zerbrochen war, mußte nicht nur die Aufgabe, die vor dem Werdeprozeß des Einzelnen liegt, eine andere werden, auch dieser Prozeß selbst mußte um vieles problematischer er-scheinen als bisher. Die Frage, wie der Einzelne sich mit den Mächten, die sein Leben lenken, auseinandersetzt, beschäftigte in verschiedener Form die früheren Entwicklungsromane. Sich ihnen einordnen, hieß es im 'Parzival', sich zwischen ihnen entscheiden im 'Simplicissimus', einer von ihnen recht geben,

---

[1] Buch 8, Kap. 1; Bd. 23 S. 133.

im 'Agathon'. Jetzt, da die alten Ordnungen zertrümmert sind, da zwischen Willkür und Regel allerorts die festen Grenzen aufgehoben sind, umwittert die Entwicklung des Menschen auch das Rätsel, welche Mächte an ihr teilhaben, nach welchem Gesetz sie sich vollzieht. Nun, da die Richtschnur fehlt, kann alles Zufall scheinen, kann ebenso überall Schicksal geglaubt werden. Zu der Gestaltungsarbeit, die jetzt von dem Einzelnen gefordert wird, wo er früher nur sich in feste Form hineinzufinden hatte, gehört nicht nur die Bestimmung des Ziels, gehört auch die Entscheidung, welchen Gewalten er sich anvertrauen will, wieweit er sich leiten lassen, wieweit selbst wählen und beschließen will. Vor der blinden Hingabe an das Geschehen warnen die geheimen Führer, die unter wechselnden Gestalten flüchtig an Wilhelm rühren, ihren Zögling. „Das Schicksal, für dessen Weisheit ich alle Ehrfurcht trage, mag an dem Zufall, durch den es wirkt, ein sehr ungelenkes Organ haben."[1] „Das Gewebe dieser Welt ist aus Notwendigkeit und Zufall gebildet; die Vernunft des Menschen stellt sich zwischen beide, und weiß sie zu beherrschen; sie behandelt das Notwendige als den Grund ihres Daseins; das Zufällige weiß sie zu lenken, zu leiten und zu nutzen."[2] „Jeder hat sein eigen Glück unter den Händen, wie der Künstler eine rohe Materie, die er zu einer Gestalt umbilden will. Aber es ist mit dieser Kunst wie mit allen; nur die Fähigkeit dazu wird uns angeboren, sie will gelernt und sorgfältig ausgeübt sein."[3] Doch nicht als bewußte Überlegung und Handlung wirkt sich, wie wir schon sahen, diese ordnende und formende Kraft des Individuums in Wilhelms Lebensbahn aus. Als eingeborenes Gesetz, das ihm selbst lange unbekannt ist, waltet sie in ihm. Entfaltung des verborgenen Keimes, der die Möglichkeit des künftigen Wachstums schon verhüllt in sich birgt, ist die Entwicklung des Menschen, so wie Goethe es im 'Daimon' der 'Urworte' ausgesprochen hat: „Geprägte Form, die lebend sich entwickelt"[4].

---

[1]) Buch 2, Kap. 9; Bd. 21 S. 192.
[2]) Buch 1, Kap. 17; Bd. 21 S. 108.
[3]) Buch 1, Kap. 17; Bd. 21 S. 109.
[4]) Dem lockenden und weitreichenden Problem der Zusammenhänge und Berührungen solcher Anschauung mit der zeitgenössischen Philosophie nachzugehen, würde uns hier, wie beim 'Agathon', zu weit von unserem Thema entfernen.

Solche Betrachtung des menschlichen Werdeprozesses unter dem Gesichtspunkt eines individuellen Gesetzes konnte erst in diesem Stadium des Entwicklungsromans eintreten. Nun erst, da das Problem der Entwicklung des Einzelnen völlig vom Ich aus erlebt wird, da nicht mehr die Frage, wie der Einzelne sich der Welt einfügt, sondern, wie sich ihm die Welt darstellt, Ausgangspunkt ist, konnte sich ein Blick bilden, der in die letzten Geheimnisse des individuellen Seins einzudringen versucht.

Wir haben gesehen, wie Goethe diese immanente Gesetz-mäßigkeit, die er im menschlichen Werden walten sah, durch das äußere Symbol der Turmgesellschaft sichtbar verkörpert hat. Kaum ein anderer Zug läßt den Wandel der Voraussetzungen, die den Entwicklungsroman der verschiedenen Epochen trugen, so eindrücklich offenbar werden. ,,Der Roman, so wie er da ist, nähert sich in mehreren Stücken der Epopee, unter andern auch darinn, daß er Maschinen hat, die in gewissem Sinne die Götter oder das regierende Schicksal darinn vorstellen... Ein verborgen wirkender höherer Verstand, die Mächte des Turms, begleiten ihn [Wilhelm] mit ihrer Aufmerksamkeit, und ohne die Natur in ihrem freien Gange zu stören, beobachten, leiten sie ihn von ferne und zu einem Zwecke, davon er selbst keine Ahnung hat, noch haben darf. So leise und locker auch dieser Einfluß von außen ist, so ist er doch wirklich da, und zur Erreichung des poetischen Zwecks war er unentbehrlich. Lehrjahre sind ein Verhältnisbegriff, sie fordern ihr Correlatum, die Meisterschaft, und zwar muß die Idee von dieser letzten jene erst erklären und begründen. Nun kann aber die Idee der Meisterschaft, die nur das Werk der gereiften und vollendeten Erfahrung ist, den Helden des Romans nicht selbst leiten; sie kann und darf nicht, als sein Zweck und sein Ziel vor ihm stehen, denn sobald er das Ziel sich dächte, so hätte er es eo ipso auch erreicht; sie muß also als Führerin hinter ihm stehen;" so erläutert Schiller[1]) die Bedeutung der Turmgesellschaft. Eine solche Idee, die als Führerin hinter dem Helden steht, ohne daß er selbst sich über sie klar ist, eine solche Leitung ,,von ferne und zu einem Zwecke, von dem er selbst keine Ahnung hat", kennen wir aus dem 'Parzival'. Die Erwählung und Lenkung Parzivals ist kein Symbol — in dem

---

[1]) 8. Juli 96 an Goethe.

Sinne, wie wir etwa den Gralsorden als solches bezeichneten, — sie ist eine unmittelbare Gewißheit, eine sicher empfundene Lebenstatsache, selbstverständliches Glied des Weltbildes, aus dem Wolframs Werk geboren ist. Wie solche Führung, wenn auch in anderer Weise, noch im 'Simplicissimus' wirksam, wie eine Atmosphäre des Schicksalhaften auch in ihm fühlbar ist, während der 'Agathon' dieses Moment völlig verloren hat, haben wir gesehen. Der 'Wilhelm Meister' erschöpft sich nicht, wie der 'Agathon', in der bloßen Darstellung eines psychologischen Verlaufs, ein Hauch des Schicksals liegt wieder über ihm, verborgene, letzlich unerklärbare Gesetzmäßigkeit bestimmt, wie wir erkannten, die Entwicklung des Helden. Aber dieses dunkel gespürte Schicksal, dieses heimlich waltende und doch kaum merkbare Gesetz trägt keine klar umrissenen Züge, ihm fehlt die feste Stelle in einem geordneten Weltbild, an der es unbestrittenes Daseinsrecht hätte. Nur im künstlerischen Symbol vermag Goethe ihm Ausdruck zu geben, auf die Ebene des Menschlichen muß er es verpflanzen, damit es Gestalt gewinnt. Wir begreifen von hier aus, warum der Rationalismus des 19. Jahrhunderts von Gustav Freytag[1]) bis Fontane[2]) an der Rolle der Turmgesellschaft Anstoß nahm, sie für überflüssig und sinnlos erklärte. Die nur rationalistische und psychologische Auffassung menschlicher Entwicklung bedurfte keines Gesetzes, keiner tieferen Verwurzelung, konnte sich mit dem rein kausalen Ablauf und seinem Resultat begnügen. —

Wenn die neue Voraussetzung des Goetheschen Entwicklungsromans eine Problematik schaffen mußte, von der die früheren nichts wußten, wenn vor allem eine neue Aufgabe für den Helden aus dieser veränderten Voraussetzung erwächst, so ist auch die Erfüllung dieser Aufgabe nicht mehr eindeutig vorgezeichnet, wie sie es den Helden Wolframs und Grimmelshausens war. Den krönenden Gipfel soll Parzival erreichen, zu dem einzigen Ausweg Simplicius zurückfinden; Agathon ist bereits vor die Entscheidung gestellt, aber nur die Wahl zwischen zwei Möglichkeiten hat er zu treffen. Dem Weg menschlicher Entwicklung, wie er im

---

[1]) Siehe G. Freytag, Wilhelm Meister im Verhältnis zu unserer Zeit (Grenzboten 1855).

[2]) Siehe Theodor Fontane, Goethe-Eindrücke (Ges. Werke, 2. Serie Bd. 9, Nachlaß S. 223 'Wilhelm Meister').

'Wilhelm Meister' zum erstenmal künstlerische Gestaltung findet, ist nur der Ausgangspunkt, nicht das Ziel gegeben. Mannigfach sind die Lösungen, zu denen jetzt das Problem der Entfaltung des Einzelnen gelangen kann[1]). Liegt doch in ihm von nun an die Forderung beschlossen, aus der Vielheit der Wege einen zu ergreifen, im Unbegrenzten Grenzen zu ziehen, Ordnung im Wirrsal, Form aus dem Chaos zu schaffen. Indem Goethe diese Forderung, die den Menschen der nächsten anderthalb Jahrhunderte nicht mehr verlassen sollte, als erster dichterisch erlebt und verkörpert hat, ist sein Werk auch der erste dichterische Versuch, dieser Forderung genüge zu tun.

Das Ziel, das Goethes Roman der Entwicklung des Menschen setzt, ist zunächst ein durchaus individuelles. Für sich selbst, nicht für die Menschheit sucht Wilhelm einen Weg; die „harmonische Ausbildung", zu der ihn „eine unwiderstehliche Neigung" treibt, schwebt ihm als Ideal nur für sich selbst vor; und wenn er in dem gleichen Brief an Werner über die Unfähigkeit der bürgerlichen Gesellschaft, solche harmonische Ausbildung zu verleihen, klagt, so kommt er zu dem Ergebnis: „Ob sich daran einmal etwas ändern wird und was sich ändern wird, bekümmert mich wenig; genug, ich habe, wie die Sachen jetzt stehen, an mich selbst zu denken, und wie ich mich selbst und das, was mir ein unerläßliches Bedürfnis ist, rette und erreiche[2])". Auch die Absicht der Turmgesellschaft ist zunächst nur auf die Führung des Einzelnen zu seiner besonderen Bestimmung gerichtet. Wie das einzige Gesetz, das wir im 'Wilhelm Meister' fanden, das individuelle Gesetz des Menschen ist, so ist auch die Norm zunächst nur auf den Einzelnen bezogen, ja, aus ihm abgeleitet. „Wir sprachen nach unserer Art nur diejenigen los, die lebhaft fühlten und deutlich bekannten, wozu sie geboren seien".[3]) Dem entspricht die Erziehungsmethode der Turmgesellschaft, die

---

[1]) Aus diesem Zusammenhang erklärt sich die wechselnde Wertung von Goethes Werk durch die Romantiker. Mit begeisterter Zustimmung erkannten sie in dem Roman den Ausdruck ihrer eigensten Problematik. Ihr Versuch, diese Problematik zu lösen, aber mußte ein durchaus anderer sein als der Goethesche. So finden wir in ihrer Beurteilung des 'Meister' bald Verherrlichung, bald Bekämpfung, bald unbewußte Umdeutung.

[2]) Buch 5, Kap. 3, Bd. 22 S. 151.

[3]) Buch 8, Kap. 5, Bd. 23 S. 213.

keinen vor Irrtum bewahrt. „Ein Kind, ein junger Mensch, die auf ihrem eigenen Wege irre gehen, sind mir lieber als manche, die auf fremdem Wege recht wandeln. Finden jene, entweder durch sich selbst, oder durch Anleitung, den rechten Weg, das ist den, der ihrer Natur gemäß ist, so werden sie ihn nie verlassen, anstatt daß diese jeden Augenblick in Gefahr sind, ein fremdes Joch abzuschütteln, und sich einer unbedingten Freiheit zu übergeben."[1]

Aber mit dieser individuellen Zielbildung ist noch nicht das letzte Wort des Goetheschen Entwicklungsromans gesprochen. Gilt auch Wilhelms Streben zunächst der Formung des eigenen Wesens, stellt sich die Entfaltung des Einzelnen als solche für Goethe als beendet dar, sobald der Mensch zur geschlossenen Einheit und Ganzheit, zur Harmonie mit sich selbst gereift ist, so erheben sich doch hinter und über diesem Ideal der vollendeten Persönlichkeitsausbildung deutlich die Umrisse eines neuen Gemeinschaftsziels, mehren sich, je näher wir dem Schluß des Werkes, der Lösung des Grundproblems kommen, die Zeugnisse eines Willens, der nicht nur Gestaltung des individuellen Daseins, der eine neue Form auch für das Leben der Gesamtheit sucht.

Dem Erziehungsprinzip der Turmgesellschaft, die gemäß ihrer früher erläuterten Rolle jeden seine eigene Bahn verfolgen läßt, steht die Anschauung Natalies gegenüber: „Ebenso nötig scheint es mir gewisse Gesetze auszusprechen und den Kindern einzuschärfen, die dem Leben einen gewissen Halt geben. Ja, ich möchte beinah behaupten: es sei besser nach Regeln zu irren, als zu irren, wenn uns die Willkür unserer Natur hin und her treibt, und wie ich die Menschen sehe, scheint mir in ihrer Natur immer eine Lücke zu bleiben, die nur durch ein entschieden ausgesprochenes Gesetz ausgefüllt werden kann."[2]　Wichtiger als

---

[1] Buch 8, Kap. 3, Bd. 23 S. 167.　Aus gleichem Grundgefühl stammt es, wenn Goethe 1779 (14. Juli) im Tagebuch sagt: „Den Punkt der Vereinigung des mannigfaltigen zu finden bleibt immer ein Geheimnis, weil die Individualität eines jeden darinn besonders zu Rate gehen muß und niemanden anhören darf", oder wenn er aus Italien an Frau von Stein schreibt (8. Juni 87): „Übrigens habe ich glückliche Menschen kennen lernen, die es nur sind weil sie ganz sind, auch der Geringste wenn er ganz ist kann glücklich und in seiner Art vollkommen sein."

[2] Buch 8, Kap. 3; Bd. 23 S. 178.

diese theoretischen Ausführungen ist die Bedeutung Natalies selbst. Zunächst nur für Wilhelms Streben Krönung und Erfüllung, Verkörperung seines Ziels, wird sie doch darüber hinaus zugleich als Vorbild für die Allgemeinheit empfunden, wie es in Lotharios Wertung deutlich hervortritt[1]). Schon darin macht sich der Beginn neuer Normbildung fühlbar. Schließlich aber führt der Zusammenschluß Lotharios und seiner Freunde, die Erweiterung der Turmgesellschaft zu einem Weltbunde unmittelbar auf diesen Weg. Die 'Wanderjahre' haben ja dann diese Ansätze und Absichten zu voller Ausführung gebracht. In der Vereinigung der „Entsagenden", in deren Form der am Ende der 'Lehrjahre' gegründete Bund dort wieder auftritt, in der Pädagogischen Provinz, in der geplanten Siedlung der Auswanderer und in der Utopie des Staates, der sich daraus entwickeln soll, steigt in langsamer Steigerung das Bild eines neuen Gesamtlebens, einer neuen Kultur und Gesellschaftsordnung auf. So wenig uns hier das in den „Wanderjahren" entworfene Gemälde eines Zukunftsstaates in seinen einzelnen Zügen angeht, so wichtig ist für unseren Zusammenhang dieser Grundgedanke einer neuen Gemeinschaftsbildung als solcher. Nicht nur der Plan eines Bundes, dem wir am Ende der Lehrjahre begegnen, auch Goethes unmittelbare Äußerungen lassen keinen Zweifel darüber, daß die erste Konzeption der 'Wanderjahre' bereits in die Zeit der Vollendung der 'Lehrjahre' fällt. „Bei jenem [dem Roman] wird die Hauptfrage sein: wo sich die Lehrjahre schließen, die eigentlich gegeben werden sollen, und inwiefern man Absicht hat, künftig die Figuren noch einmal auftreten zu lassen. Ihr heutiger Brief deutet mir eigentlich auf eine Fortsetzung des Werkes, wozu ich denn auch wohl Idee und Lust habe ... Was rückwärts notwendig ist, muß getan werden, sowie man vorwärts deuten muß, aber es müssen Verzahnungen stehen bleiben, die, so gut wie der Plan selbst, auf eine weitere Fortsetzung deuten", heißt es am 12. Juli 1796 an Schiller. Wir dürfen also durchaus die 'Wanderjahre' als Darstellung einer Idee auffassen, die bereits den Abschluß der 'Lehrjahre' bildet[2]). Und so sehen wir in

---

[1]) Buch 8, Kap. 10; Bd. 23 S. 307.
[2]) Gundolf, ('Goethe', Teil III, 'Wilhelm Meister Wanderjahre' S. 717) nennt die Gestaltung einer pädagogisch-sozialen Utopie in Goethes 'Wanderjahren' eine „noch am Ende seines Lebens ... ge-

Goethes Roman für das Problem der Entwicklung des Einzelnen neben dem Ziel der harmonischen Ausbildung des Individuums zugleich das Ziel einer neuen allgemeinen Ordnung der chaotisch gewordenen Welt aufgerichtet.

Vom Einzelnen oder von der Gesamtheit aus kann die Frage der Gestaltung des menschlichen Lebensweges in einer Zeit der aufgelösten Ordnungen und erschütterten Normen ergriffen und beantwortet werden. In wechselnden Formen hat der Entwicklungsroman des neunzehnten und beginnenden zwanzigsten Jahrhunderts die eine oder die andere Lösung versucht. Beide Zielmöglichkeiten läßt der 'Wilhelm Meister' zum erstenmal erstehen. Die Richtungen, die seine Nachfolger eingeschlagen haben, sind hier im Keim bereits vorgebildet. Aber ob nun ihre Beantwortungen des Problems im einzelnen der seinen näher oder ferner stehen, verwandten oder fremden Geist verraten, das Problem selbst ist in ihnen allen das gleiche. In 'Wilhelm Meister' hat das Thema der Entwicklung des Einzelnen die Gestalt gewonnen, die ihm seitdem geblieben ist und in der es immer aufs neue zu dichterischem Ausdruck gedrängt hat: Entwicklung bedeutet nun die Aufgabe, dem eigenen Leben Ziel und Form zu finden und zu prägen, der Entwicklungsroman ist zum modernen Bildungsroman geworden.

---

danklich bei ihm unerhört neue Tendenz". Finden wir den Ordensgedanken, wenn auch in anderem Sinn, schon früh in den 'Geheimnissen', so ist in dieser politisch-sozialen Fassung die Idee einer Gemeinschaftsbildung allerdings dem jüngeren Goethe fremd. Aber es ist der Auffassung Gundolfs gegenüber zu betonen, daß diese Idee, wie wir sahen, in ihrem Kern bereits den 'Lehrjahren' angehört (vgl. bsds. Jarnos Ausführungen Buch 8, Kap. 7; Bd. 23 S. 236/7), und wir gehen wohl kaum fehl, wenn wir ihre Voraussetzung in der für Goethe so entscheidenden Umwälzung durch die französische Revolution sehen.

3. KAPITEL

VORAUSSETZUNGEN UND RICHTUNGEN DES
MODERNEN BILDUNGSROMANS

Mit dem Erscheinen von 'Wilhelm Meisters Lehrjahren' tritt die Geschichte des deutschen Entwicklungsromans in ein gänzlich neues Stadium. In langsamer Folge, in großen, dann geringer werdenden Abständen zogen bisher die wenigen bedeutungsschweren Werke, die dem Erlebnis der Entwicklung des Einzelnen für ihre Epoche Stimme gaben, an uns vorüber, jedes das Kind einer anderen Zeitlage, anderer, gewandelter Voraussetzungen für das Problem, dessen Gestaltung wir nachgehen. Seit Goethes 'Meister' aber stehen wir einer fast unübersehbaren Fülle von Entwicklungsromanen gegenüber, die in vielfach ganz schmalen Zwischenräumen, oft auch gleichzeitig, ans Licht treten und der Geschichte des Romans im nächsten Jahrhundert das hauptsächliche Gepräge geben. Der Entwicklungsroman ist die bevorzugte Romanform des 19. Jahrhunderts, die Form, die mehr als jede andere dem Erlebnis seiner Menschen zu entsprechen scheint. Nicht nur der Reichtum an selbständigen Bildungsromanen bezeugt das, auch in epischen Werken anderer Grundlage finden wir Elemente des Entwicklungsromans allerorts verstreut, die uns fühlen lassen, welche Rolle das Problem im Leben des Einzelnen jetzt spielt. Gleichviel, wieweit diese Romane oder Romanteile unter der unmittelbaren oder mittelbaren Tradition der Goetheschen Dichtung stehen, wieweit sie von anderem Ursprung her zu gleicher Fragestellung drängen: sie alle variieren nur das Thema, das im 'Wilhelm Meister' zum erstenmal angeschlagen ist. Denn nicht nur in dem Einfluß, der von ihm ausgeht, dürfen wir die einschneidende Bedeutung des Goetheschen Werks für den gesamten späteren Entwicklungsroman suchen; es ist nicht nur das große Vorbild für den modernen Bildungsroman, es ist vor allem der erste und bezeichnendste Ausdruck einer Problemstellung, die uns seitdem in unerschöpflich neuen Abwandlungen und Ausgestaltungen immer wieder entgegentritt. Gilt es doch in allen den nach-Goetheschen Entwicklungsromanen dieselbe Aufgabe, die im 'Wilhelm Meister' zum erstenmal gestellt wird: in chaotischer Welt, unter einer Überfülle von Möglichkeiten das Ziel zu finden; nur die Versuche der Lösung sind verschieden.

Aber nicht nur die neue Voraussetzung hat in Goethes Werk ihre repräsentative Gestaltung gewonnen, die es mehr oder weniger zum Vorbild der späteren macht; im Umriß läßt seine Dichtung auch bereits die Möglichkeiten ahnen, denen auf solchem Boden sich der künftige Entwicklungsroman zuwenden kann. So unübersehbar im einzelnen die wechselnden Formen scheinen, die seit mehr denn einem Jahrhundert der Entwicklungsroman annimmt, die Richtungen, in die er weist, sind dennoch deutlich erkennbar, und sie sind bereits im 'Wilhelm Meister' vorgezeichnet.

Bedeutete der Weg vom 'Parzival' über den 'Simplicissimus' und ‚Agathon' zum 'Meister' zunehmende Individualisierung, immer stärkere Verschiebung des Schwerpunktes auf den Einzelnen, der zuletzt Ausgangspunkt und Endpunkt des Problems bildet, so findet diese Einstellung im nach-Goetheschen Entwicklungsroman noch manche Zuspitzung und Steigerung. Große und untereinander so gegensätzliche Vertreter des Bildungsromans wie Jean Paul und Keller — um nur diese beiden als polare Beispiele zu nennen — richten den Blick ausschließlich auf Werden und Reifen des Helden selbst, ob dieser von aller gesellschaftlichen Bedingtheit fast gelöst, im Ringen mit elementar-menschlichen Gewalten wie im 'Titan', oder eingebettet in bestimmte zeitliche Gewohnheiten und Anschauungen wie im 'Grünen Heinrich' gesehen ist, ob der Glaube an hohe menschliche Vollendung das Werk erfüllt, oder es in stiller Resignation mündet. Und besonders die zweite Hälfte des neunzehnten Jahrhunderts zeigt uns mannigfache verschiedenartige Ausgestaltungen individuell gerichteter Fragestellung und Zielsetzung.

Aber der Moment, da das Interesse am Einzelnen einen Höhepunkt erreicht, da zum erstenmal der individuelle Mensch selbst

Bahn und Richtung seines Lebens zu wählen hat, ist zugleich der Beginn der Wende: im Augenblick, da die alten Normen ihre letzte Geltung verloren haben, kündigt sich bereits die Suche nach neuer Norm, nach einer neuen gültigen und bindenden Ordnung an. Im 'Wilhelm Meister' selbst schon fanden wir den Willen zur Gemeinschaftsbildung. Und wie die Auflösung des Gesamtlebens, die Isolierung des einzelnen Ich noch weit über den Goetheschen Roman hinaus im neunzehnten Jahrhundert eine Steigerung erfahren hat, so sehen wir andererseits auch gerade die Sehnsucht nach der Wiedergeburt gemeinsamen, von einheitlichem Gesetz und Glauben erfüllten Daseins noch leidenschaftlichere und bestimmtere Formen annehmen. Wie leise sich der Gemeinschaftsgedanke in Goethes Betrachtung des menschlichen Werdeprozesses nur regt, dafür ist es bezeichnend, daß die 'Lehrjahre' über schwache Andeutungen nicht hinausgehen, und daß er erst in einem besonderen, mit dem Entwicklungsmotiv nur noch lose verknüpften Werk seine Ausgestaltung gewinnt. Aber fast gleichzeitig mit Goethes Roman, in seiner Entstehung von ihm unabhängig, gibt uns Hölderlins 'Hyperion' das großartige Beispiel eines von vornherein auf die Frage des Gemeinschaftsziels gerichteten Entwicklungsromans, mag er auch zunächst mit der Enttäuschung an dessen vorläufiger Verwirklichung, der Flucht in die bergende Ruhe der Natur schließen. „Es ist eine bessere Zeit, die suchst Du, eine schönere Welt." „Es werde von Grund aus anders! Aus der Wurzel der Menschheit sprosse die neue Welt!" Ein Traum neuer Zukunft, in den das Leben des Einzelnen mündet, geistert vielfach auch, wenngleich nur als ungewisses Sehnen, in den meist Bruchstück gebliebenen romantischen Romanen und kehrt nach mancher Unterbrechung verstärkt und mit deutlicheren Zügen im Entwicklungsroman unserer Tage wieder.

Nähert sich so der Entwicklungsroman in der Grundrichtung mählich wieder seinen Anfängen, wird zum Erlösungsroman, wie es einst der 'Parzival' war, nur daß an Stelle der dort noch bestehenden festen Norm ein erst ersehntes Zukunftsziel getreten ist, wächst aus der Auflösung der Einheit die Sehnsucht nach neuer Bindung und Ordnung, so gilt ein gleiches von seiner Darstellungsweise. Erst die Romane der letzten Jahrzehnte des neunzehnten Jahrhunderts haben die Zergliederung seelischer Entwicklung, die im 'Agathon' ihre Form gefunden hatte, in all ihren Möglichkeiten ausgeschöpft. Daneben aber beginnt schon im 'Wilhelm Meister', wie wir erkannten, die Überwindung der bloß psychologischen Schilderung, der Drang zu symbolischer Gestaltung. Wir finden diese Symbolik wieder bei Jean Paul und mit besonderer Vorliebe, wenn auch bisweilen ins Allegorische entartend, in der Romantik, wo sie in Sinnbildern wie der „blauen Blume" des 'Ofterdingen' zum Ausdruck kommt, und wir sehen auch diesen Zug im Entwicklungsroman der jüngsten Zeit wieder aufleben. Erinnern wir uns, daß Schiller bereits im 'Meister' Elemente des Epos zu bemerken glaubte, so ist es zugleich beachtenswert, daß eine starke rhythmische Bindung der Sprache, die ihrerseits eine Annäherung an das Epos bedeutet, schon im 'Hyperion' herrscht, Ansätze dazu auch in romantischen Romanen erkennbar werden und daß in der neuesten Epoche der Entwicklungsroman gelegentlich unmittelbar die Gestalt des Epos angenommen hat. So mündet auch im Formalen von allen Seiten her der Entwicklungsroman mehr und mehr in seine früheste Gestalt wieder ein.

Den reichen Verzweigungen und feinen Verästelungen, den Kreuzungen und Kurven der Linie des nach-Goetheschen Entwicklungsromans im einzelnen nachzugehen, muß einer besonderen Untersuchung vorbehalten bleiben. In der Geschichte des deutschen Entwicklungsromans eröffnet der 'Wilhelm Meister' eine neue, zweite Epoche. Ihre Betrachtung stellt andere Aufgaben als der bisherige Verlauf. Nicht mehr den allmählichen Wandel der sittlichen und gesellschaftlichen Ordnung im Spiegel der Romane zu erkennen gilt es, sondern all die vielfachen, verschiedenen Wege aufzudecken, auf denen der moderne Mensch versucht, inmitten unendlicher Möglichkeiten eine Lebensform zu finden. Die einzelnen nach-Goetheschen Entwicklungsromane künden nicht mehr wie die früheren jeweils das Weltbild und die Kulturform einer ganzen Epoche, nur die zahllosen kleineren und größeren Strömungen, die im modernen Leben ineinander fluten, werden in ihnen sichtbar. Das Erdreich aber, aus dem sie alle entspringen, ist das gleiche wie das der Goetheschen Dichtung.

So dürfen wir mit 'Wilhelm Meisters Lehrjahren' unsere Darstellung abschließen. Deutlich genug erhellt schon hier, wohin die Zukunft des deutschen Entwicklungsromans noch weisen kann. Seine Bahn liegt klar übersehbar vor uns. Durch sechs Jahrhunderte deutschen Geisteslebens, vom ritterlichen Epos bis zum modernen Bildungsroman, hat uns seine Geschichte geführt. Nun, da wir sie rückblickend überschauen, vermögen wir ihren Zusammenhang und ihr Gesetz zu erkennen, erschließt sich der Prozeß kultureller und seelischer Wandlungen, der in ihr seinen Niederschlag gefunden hat.

RÜCKBLICK

Der Weg aus geschlossener Lebenseinheit zu immer stärkerer Auflösung solcher Einheit, und wieder das Streben zu neuer Einheit hin, die allmähliche Abkehr des Blickes von der Außenwelt ins eigene Innere, und der wiedererwachende Wille, sich von der Selbstbetrachtung hinweg der Welt zuzuwenden, das ist der Weg des deutschen Entwicklungsromans.

Versuchen wir diesen Weg zu deuten, zu erspüren, welche Kräfte in diesem Prozeß wirksam sind, so ist schon der Zeitpunkt, da der Entwicklungsroman zum erstenmal hervortritt, bezeichnend und erhellend. Nicht dem Bereich des Heldenepos gehörte die erste Schöpfung an, die wir als Entwicklungsroman in Anspruch nehmen konnten, sondern erst dem der höfischen Dichtung; einer Periode also, da das Gemeinschaftsleben bereits beginnt, konventionellere und erstarrtere Züge zu tragen; denn gerade in der größeren Echtheit und Unmittelbarkeit von Sitte und Gesetz erkannten wir ja den grundlegenden Unterschied, der das Weltgefühl der Heldendichtung von dem des Ritterromans trennte.

Wir dürfen in dieser Erscheinung eine tiefe Gesetzmäßigkeit und Notwendigkeit erblicken. Das Auftreten des Entwicklungsromans als solches bedeutet bereits einen wenn auch noch leisen und vorübergehenden Zweifel an Wert und Geltung der gegebenen Kultur, bedeutet, daß sie nicht mehr selbstverständlich hingenommen wird, daß der Mensch über seine Stellung zu ihr zu grübeln beginnt. Denn wo der Einzelne völlig mit Gebot und Regel des Gemeinschaftslebens übereinstimmt, wo sie nur Ausdruck seines eigensten Fühlens sind, da bedarf es keiner Auseinandersetzung mit der betreffenden Welt, kann das Hineinwachsen in ihre Formen nicht zum Problem werden. So ist die Voraussetzung für den Entwicklungsroman erst geschaffen, wenn die einheitliche

Lebensform bereits ihre höchste Macht und Verpflichtung einzubüßen beginnt, wie andererseits sein Vorhandensein Vorbote
und Symptom solcher Schwächung ist.

Und von hier aus begreifen wir, warum die weitere Bahn des
Entwicklungsromans in zunehmendem Grade Lockerung und
Lösung des Gesamtlebens kündet. Je mürber das innere Band ist,
das den Einzelnen an die Lebensordnung knüpft in der er steht,
je erschütterter der Zusammenhalt dieser Lebensordnung ist,
umso drängender wird für den Menschen das Problem der Gestaltung und Verankerung seines Daseins.

Das kommt nicht nur im Gehalt der verschiedenen Entwicklungsromane zum Ausdruck, auch die Zeiträume ihrer Entstehung verraten diesen Zusammenhang: Ein halbes Jahrtausend
liegt zwischen 'Parzival' und 'Simplicissimus', ein Jahrhundert
zwischen diesem und dem 'Agathon', den nur dreißig Jahre von
Goethes 'Meister' trennen. Dieses zunächst befremdende Verhältnis entspricht doch nur der wachsenden Bedeutung, die die
Frage der persönlichen Lebensentwicklung im Ablauf der kulturellen
Wandlungen gewinnt, wird umso durchsichtiger, wenn wir bedenken, daß der 'Simplicissimus' dem ersten Jahrhundert nach
der Reformation, der 'Agathon' der Aufklärungszeit angehört,
wie es auch in solchem Sinne naturgemäß erscheint, daß gerade
die letzten anderthalb Jahrhunderte mit ihrer vielseitigen, zersplitterten, gelösten Kultur das eigentlich klassische Zeitalter des
Entwicklungsromans werden mußten.

Aufs engste ist mit diesem Wandel des Weltbildes auch die
allmähliche Veränderung der Darstellungsweise, die wir zu beobachten hatten, verwebt. Verrät der Entwicklungsroman an sich
schon ein gewisses Interesse am menschlichen Ich, am Vorgang
seines seelischen Werdens, so muß in dem Maße, in dem das Gefühl
der Gemeinschaft zurücktritt, der Einzelne mehr und mehr in den
Vordergrund des Blickfeldes rücken, das Auge sich von der Umwelt
fort ins eigene Innere richten.

Die Geschichte des Entwicklungsromans spiegelt die wachsende
Auflösung des Gemeinschaftslebens bis zur seelischen Isolierung
des Einzelnen. Aber sie spiegelt auch das Suchen des auf sich selbst
gestellten, keinem geistigen Verbande mehr unbedingt zugehörigen
Menschen nach fester Verwurzelung, das ferne Ersehnen und nahe
Wittern der Wiedergeburt einer einenden und bindenden Lebens-

ordnung. Mit dem ersten Zweifel und Entfremden gegenüber der herrschenden Kulturform erstand das Problem des Entwicklungsromans. Es muß hinfällig werden, sobald wieder eine Lebenseinheit erwachsen ist, sobald die Sehnsucht nach neuer Norm und Gemeinschaftsbildung Erfüllung gefunden hat, aus einem Wunschbild zur Wirklichkeit geworden ist. Entlassen aus den letzten Trümmern des Gefüges, das ihn einst umschloß, versucht der Mensch alsbald zu neuem Bau die Pfeiler zu errichten, und der Moment der vollen Entfaltung des Entwicklungsromans läßt auch bereits seine künftige Überwindung ahnen.

ANHANG (zu S. 26.)
DER EINGANG DES 'PARZIVAL' (VERS 1—14)

Unserer Gesamtbetrachtung des 'Parzival' fügten sich die ersten Verse des Eingangs von selbst ein als eine Erörterung von Seelenvorgängen, wie sie sich in Parzivals innerer Krisis abspielen. Wir verstanden dabei den Begriff des *zwîvel* als ein Irrewerden am Sinn des Daseins, schrieben dem Wort also religiöse Bedeutung, aber im weitesten Sinne, zu. Trotz dieses zeitweiligen Irrewerdens bleibt Parzival *staete*, bewahrt den festen Zielwillen, er behält den *unverzagten mannes muot*. Der Gedanke der Einleitung wäre demnach — ganz parallel dem Gange der Dichtung — der, daß trotz der Gefahren des *zwîvel* derjenige, der mit ihm den *unverzagten mannes muot* verbinde, *der mit staeten gedanken*, doch noch den rechten Weg zu finden vermöge *(der mac dennoch wesen geil)*. Der *unstaete geselle* ist hiernach derjenige, der völlig ziel- und haltlos wird; dieser geht verloren *(hât die swarzen varwe gar, und wirt och nâch der vinster var)*.

Es gilt, diese Auffassung zu belegen.

Aus den mannigfachen Interpretationen und Kontroversen über den Sinn der Verse geht uns vor allem die Frage an, ob *zwîvel* und *unstaete* Verschiedenes bezeichnen, oder ob es vielmehr Synonyme sind, in welchem Fall sich dann ein ganz anderer Sinn der Einleitung ergeben würde.

Die Auffassung, daß *zwîvel* dasselbe bedeute wie *unstaete*, nämlich ganz allgemein Untreue, Wankelmut, hat in ausführlicher Sonderuntersuchung des Einganges Nolte[1] im Anschluß an Roediger[2] und die Interpretation des Wortes in Müllers Mhd. Wörterbuch vertreten. Bei dieser Deutung umschreiben und wieder-

---

[1] Nolte, Der Eingang des Parzival. Diss. Marburg 1900.
[2] Archiv f. d. Stud. d. neuer. Sprachen 1893 Nr. 90, S. 411.

holen die ersten vierzehn Eingangsverse im Grunde nur den
Gedankengang von Zeile 1 und 2: Untreue führt zur Hölle (so
interpretiert Nolte mit Kläden[1]) u. a. im Gegensatz etwa zu
Leitzmann[2]) *der sêle werden sûr*); wo sich aber im unverzagten
Mannessinn Treue und Untreue wie schwarz und weiß nebeneinander befinden, da haben Himmel und Hölle ihren Anteil;
der Ungetreue[3]) ist schwarz, der Getreue *(der mit staeten gedanken)*
weiß. Die Verse würden also nur eine selbstverständliche Folgerung
aussprechen, denn, wenn Untreue schwarz, verdammenswert,
Treue weiß, d.h. der Seligkeit wert ist, so ergibt sich ohne weiteres,
daß das Nebeneinander beider Eigenschaften in derselben Seele
ihr die „schwarzweiße“ Farbe verleihen muß, daß an ihr Himmel
und Hölle beide Teil haben. Schon die Banalität dieses Gedankens,
für dessen Darlegung es keines Wolfram bedurft hätte, muß stutzig
machen, noch mehr aber das Ergebnis solcher Deutung für das
Epos selbst. Nach Nolte ist der entscheidende Moment der Dichtung
Parzivals Abfall von Gott: Die Untreue, die darin liegt, würde
ihn zur Verdammnis führen, wenn ihn nicht die Treue, die er gleichzeitig seinem Weibe hält, rettete. „Dadurch, daß er während der
Zeit des Abfalls doch die Treue in anderen Verhältnissen, vor
allem die Treue zu seiner Gattin, bewahrt, ist er *parrieret*, hat er
an Himmel und Hölle Anteil und darum noch Aussicht auf
Rettung“[4]).

Seine Auffassung des Begriffes *zwîvel* stützt Nolte auf die
übrigen Stellen, an denen Wolfram das Wort gebraucht. Seine
Interpretation einer Reihe dieser Stellen hat schon Ehrismann[5])
angegriffen. Den gleichen Sinn wie im Eingang, d. h. den der
Untreue, nimmt Nolte selbst nur für wenige Stellen an. Doch
scheint mir bei keiner von diesen die Deutung von *zwîvel* als Un-
sicherwerden, Irrewerden, Zweifelhaftwerden unzulässig. Das
gilt von den Möglichkeiten des Zweifelns an gegenseitiger Liebe
(Parz. 712, 28; 733, 12. Tit. 51, 1/4; 52, 1. Willeh. 262, 12), wobei
noch besonders an die gleiche Bedeutung des Wortes im 'Tristan'

---

[1]) V. d. Hagens Germania 5; 1843, S. 222.
[2]) Z. f. d Phil. 35; 1903, S. 129.
[3]) In *der unstaete geselle* faßt Nolte *unstaete* als Adjectiv. *zwîvel*
sei hier das dem Adj. entsprechende Substantiv.
[4]) a. a. O. Schluß S. 61.
[5]) Ztschr. f. d. A, 1908 s. o.

vor Tristans und Isoldens gegenseitigem Geständnis erinnert sei „*und hâlen sich doch beide / und tete daz zwîvel unde scham; / si schamte sich, er tete alsam; / si zwîvelte an im, er an ir.*"[1]) Das gilt ebenfalls für die religiösen Stellen wie Parz. 119, 28, Willeh. 1, 23/24 (gerade diese Stelle im Eingang zum 'Willehalm' ist sehr bezeichnend). Aber auch Parz. 311, 22, worauf Nolte vor allem fußt, beweist nichts anderes, als daß hier das Wort im Sinne zeitweiligen Schwankens gebraucht wird. Die Argumentation, daß, weil *zwîvel* hier als Gegensatz zu *staete* steht, es notwendig *unstaete*, Untreue bedeuten müsse, ist nicht schlagend. Es trifft nicht zu, daß, wie Nolte meint, zwischen Treue und Untreue kein drittes möglich sei. Ehrismann[2]) hat bereits demgegenüber darauf hingewiesen, daß *staete* und *nnstaete* Eigenschaften seien, ein dauernder Habitus, *zwîvel* hingegen nur ein Zustand[3]).

Halten wir für *zwîvel* an der Bedeutung des vorübergehenden Schwankend-Werdens, des Irrewerdens[4]) fest, demgegenüber *unstaete* die völlige Haltlosigkeit verkörpert, so stehen nicht *zwîvel* und *staete* einander gegenüber. Vielmehr trennt eben das Parzival vom Unsteten, vom Haltlosen, daß er bei allem *zwîvel* die *staete*, den *unverzagten mannes muot*, den festen Zielwillen bewahrt (ihn mit dem *zwîvel parrieret*)[5]). In diesem Sinne deutet auch Ehrismann im Gegensatz zu Nolte den Eingang[6]): *unverzaget mannes muot* ist ihm der „unablässig strebende Sinn", die „Willenskraft, die nach dem vorgesetzten Ziel strebt", die „Beharrlichkeit, perseverantia"[7]).

---

[1]) Tristan 11736—39. Buch XVI.

[2]) a. a. O.

[3]) Vgl. auch seine Belege für den Gebrauch der Worte in der gleichzeitigen theologischen Literatur.

[4]) So spricht auch K. Burdach (Faust und die Sorge. Dtsch. Vierteljahrsschr. I, 1 S. 32) von der „prägnanten Bedeutung" des „Zweifel" in der Parzival-Vorrede „als Spaltung der Einheit des Ich".

[5]) Über die verschiedenen Konstruktionsmöglichkeiten von *parrieren* vgl. Paul (Beitr. 2; 1876, S. 66) u. Mhd. Wörterbuch.

[6]) Eine ähnliche Deutung des Grundgedankens, aber in verflachender Darstellung und unzureichender Begründung gibt Fritzsch, Wolframs Religiosität. Diss. Leipzig 1892.

[7]) Vgl. auch den Hinweis Ehrismanns auf Trevrizents Worte *belip des willen unverzagt.* (502, 28).

REGISTER

INHALT